100 maneiras de motivar as pessoas

Steve Chandler
e Scott Richardson

100 maneiras de motivar as pessoas

SEXTANTE

tradução
Myriam Campello

preparo de originais
Melissa Lopes
Virginie Leite

revisão
Ana Lúcia Machado
Masé Sant'Anna
Sérgio Bellinello Soares

projeto gráfico e diagramação
Valéria Teixeira

capa
Miriam Lerner

pré-impressão
ô de casa

impressão e acabamento
Bartira Gráfica e Editora S/A

CIP-BRASIL. CATALOGAÇÃO-NA-FONTE
SINDICATO NACIONAL DOS EDITORES DE LIVROS, RJ

C43c Chandler, Steve, 1944-
100 maneiras de motivar as pessoas / Steve Chandler e Scott Richardson [tradução de Myriam Campelo]. – Rio de Janeiro: Sextante, 2008.

Tradução de: 100 ways to motivate others
ISBN 978-85-7542-410-0

1. Motivação no trabalho. 2. Liderança. I. Richardson, Scott, 1954-. II. Título. III. Título: 100 maneiras de motivar as pessoas.

CDD 658.314
08-2179 CDU 658.310.13

Rua Voluntários da Pátria, 45 – Gr. 1.404 – Botafogo
22270-000 – Rio de Janeiro – RJ
Tel.: (21) 2286-9944 – Fax: (21) 2286-9244
E-mail: atendimento@esextante.com.br
www.sextante.com.br

Para
Rodney Mercado

Embora o mundo dos negócios seja um jogo de números, a verdadeira realização é medida pelas riquezas emocionais infinitas: amizade, apoio e aprendizado. Dito de outra forma, aquele que morre com as maiores alegrias é o vencedor.

Dale Dauten

SUMÁRIO

INTRODUÇÃO

Hora de assumir a responsabilidade

Não acredite em nada do que você vai ler neste livro.

Embora estas 100 dicas simples tenham sido escritas a partir de nossa experiência com treinamento e consultoria, você não vai ganhar nada tentando decidir se acredita ou não nelas. Acreditar não é o caminho para o sucesso. O que importa é a prática.

Para começar, selecione algumas dessas 100 lições testadas e comprovadas e procure aplicá-las. Analise os resultados. Ao experimentá-las, vai conseguir aquilo que realmente deseja: motivar os outros.

Por incrível que pareça, a maioria das pessoas tenta motivar os outros fazendo exatamente o que *não* devia, ou seja, descarregando as próprias ansiedades sobre eles. Os pais fazem isso constantemente, descontando nos filhos os problemas que tiveram durante o dia ou transferindo para eles as próprias inseguranças. Aflitos com o baixo rendimento de sua equipe, os líderes e administradores acabam despejando uma enorme carga de ansiedade sobre os funcionários, deixando todo mundo tenso e ansioso.

Esse tipo de atitude só faz com que os outros se afastem de você o mais rápido possível. Não serve de estímulo para que façam o que você quer nem os encoraja a dar o melhor de si.

Ao longo dos anos observamos que, diante de um resultado ruim, os gerentes logo culpam sua equipe, transferindo para ela uma responsabilidade que, na verdade, cabe a eles assumir. E os diretores executivos, por sua vez, crucificam seus gerentes.

Depois, em pânico, convocam consultores, reclamam dos resultados e logo querem saber: "O que devemos fazer para motivar a equipe, aumentar a produtividade e manter o foco no cliente? Vocês recomendam algum novo treinamento?"

Neste livro, oferecemos uma nova abordagem sobre motivação no trabalho. Levamos os líderes cujas equipes não estão se saindo muito bem a repensar as próprias atitudes.

Assim, o primeiro passo para motivar os outros é perceber, caso você seja o líder, que, "se há um problema, eu sou o problema". Tendo isso em mente, você será capaz de tirar proveito das 100 dicas contidas neste livro.

Para superar a mediocridade e promover o sucesso, é preciso saber lidar com alguns paradoxos fundamentais:

1. Para fazer mais, diminua o ritmo.
2. Para que seu ponto de vista seja entendido, pare de falar.
3. Para atingir os números desejados com mais rapidez, leve-os menos a sério e transforme-os num jogo.
4. Para realmente liderar pessoas, esteja à frente delas.

O domínio desses conceitos faz com que a liderança alcance um nível de superação jamais imaginado.

Esperamos que você tenha tanto prazer ao ler este livro quanto tivemos ao escrevê-lo. E que descubra que a liderança pode ser divertida se for dividida em 100 passos simples.

1. Saiba de onde vem a motivação

Liderança é a arte de conseguir que uma pessoa faça o que você quer porque ela deseja fazê-lo.

Dwight Eisenhower

Um gerente chamado Tom chegou cedo a um seminário sobre liderança que íamos apresentar. De camisa pólo verde-oliva e calça esporte branca pregueada, estava pronto para passar o dia jogando golfe.

Caminhou até à frente da sala e disse:

– Olhem, já que isso não é obrigatório, não pretendo assistir à palestra de vocês.

– Tudo bem, mas você não veio aqui tão cedo só para nos dizer isso. Deve haver algo que queira saber.

– É verdade – confessou o gerente. – Quero saber como minha equipe de vendas pode obter um desempenho melhor. Como faço para administrar meu pessoal?

– É só isso que você quer saber?

– Só – respondeu Tom.

– Bem, podemos poupar seu tempo e fazer com que chegue ao jogo de golfe na hora.

Tom inclinou-se para a frente, à espera das palavras de sabedoria que ouviria sobre como administrar seu pessoal.

– É impossível – dissemos a ele.

– O quê?

– Não se pode administrar ninguém. Pronto! Já pode ir. E bom jogo para você.

– Como assim? – perguntou Tom. – Pensei que vocês dessem seminários inteiros sobre motivação. O que querem dizer com "não se pode administrar ninguém"?

– Nós realmente damos seminários sobre esse tema. Mas uma das primeiras coisas que explicamos aos gerentes é que, na verdade, eles não podem controlar diretamente seu pessoal. A motivação sempre tem de partir do funcionário, não de você.

– Se é assim, então o que vocês ensinam?

– Ensinamos as pessoas a motivarem *a si mesmas*. Esse é o segredo. E isso deve ser feito administrando acordos, não pessoas. Vamos discutir o assunto agora de manhã.

Tom guardou as chaves do carro no bolso e sentou-se na primeira fila até o fim do seminário.

2. Ensine autodisciplina

Disciplina é lembrar o que você quer.

David Campbell, fundador da Saks Fifth Avenue

Muitos acreditam no mito de que *temos* autodisciplina. Seria algo inato, um dom genético que possuímos ou não.

A verdade é que não *temos* autodisciplina, apenas *usamos* autodisciplina.

Tentarei explicar de outra maneira. A autodisciplina é como um idioma. Qualquer pessoa pode aprender um. Se você está perdido – digamos, em Marselha –, num dia chuvoso, e usa algumas palavras em francês para descobrir o caminho para um local seguro, está acionando esse mecanismo.

Nesse caso, o francês é como a autodisciplina, você o acionou para atingir um objetivo. Não nasceu falando essa língua, mas pode usá-la tanto quanto quiser. E quanto mais praticar, melhor será o resultado.

Digamos que você fosse transferido para Marselha e tivesse que morar e trabalhar lá durante um ano. Mesmo que nunca tivesse falado francês antes, ainda assim poderia aprender a nova língua e se fazer entender.

Você poderia abrir seu dicionário de português-francês e começar a usá-lo para pedir informações sobre como chegar a um lugar. Não seria preciso ter nascido com nenhum dom especial para fazer isso.

O mesmo princípio se aplica à autodisciplina. A maioria das pessoas, no entanto, não leva isso a sério; prefere acreditar que é tudo uma questão de ter ou não o dom. Elas consideram a autodisciplina um traço de caráter ou um aspecto da personalidade de certos privilegiados.

Isso é um grande equívoco – do tipo que pode destruir uma vida. A boa notícia é que nunca é tarde demais para corrigir esse erro, tanto em si mesmo quanto em sua equipe.

Recentemente, um empresário fez um comentário sobre um de seus colaboradores que demonstra a mentalidade reinante: "Ele seria meu vendedor número 1 se tivesse pelo menos um pouco de autodisciplina. Mas não tem nenhuma."

Não podemos concordar com esse tipo de argumento simplesmente porque não é verdadeiro. Esse vendedor tem tanta disciplina quanto qualquer outro, só que ainda não optou por usá-la. Da mesma forma que você pode aprender tantas palavras em francês quanto qualquer pessoa.

Com a prática, você terá mais facilidade de se expressar em francês, de modo que parecerá ser parte da sua natureza – algo que "trazia" dentro de si.

O mesmo vale para a autodisciplina. Se as pessoas sob sua liderança entenderem que a autodisciplina é algo que se *usa* e não que se *tem*, poderão usá-la para alcançar qualquer objetivo a que se propuserem. Caberá a elas usá-la ou não, sempre que desejarem.

Mas, em vez de encarar as coisas dessa maneira, as pessoas preferem questionar se possuem ou não esse dom, se seus parentes ou educadores conseguiram "incutir" essa qualidade nelas. Só que ninguém pode fazer isso. A autodisciplina é simplesmente uma *ferramenta* que todo mundo pode usar, como um martelo ou um dicionário.

Líderes esclarecidos conseguem extrair muito de sua equipe porque sabem que cada funcionário já tem tudo o que é necessário para ser bem-sucedido. Eles não aceitam as explicações, as desculpas, o triste fatalismo que a maioria dos profissionais ineficientes usa para justificar o próprio fracasso diante de seus chefes. Consideram essas desculpas inaceitáveis.

3. Sintonize antes de ligar

Não diga aos outros como fazer as coisas, mas o que fazer, e deixe que o surpreendam com os resultados.

George S. Patton

Não se pode motivar alguém que não nos ouve.

Se o que você diz ricocheteia na armadura psicológica do outro, pouca diferença faz que você seja ótimo em transmitir sua mensagem, pois não será ouvido. Sua equipe tem de ouvi-lo para ser estimulada por você.

E, para isso, é preciso que seus funcionários *sejam ouvidos primeiro*. Caso contrário, os resultados ficarão comprometidos.

Não funciona, por exemplo, quando você sempre fala primeiro. Seu colaborador precisa reconhecer que vocês dois estão na mesma sintonia e que você entende perfeitamente o modo de pensar dele.

Como disse Warren Bennis, o guru da liderança: "A primeira regra em qualquer treinamento é que o instrutor precisa ouvir atentamente. Isso significa que ele precisa se inserir no contexto em que o outro está raciocinando. Precisa *sintonizar* com o lugar de onde o outro está vindo. Em suma, talvez a base da liderança seja a capacidade do líder de mudar o modo de pensar do liderado, sua estrutura mental. Não é fácil, já que a maioria de nós, pensando ter sintonizado com o outro, em geral está simplesmente ouvindo com atenção a si mesmo."

Há algum tempo trabalhamos com Lance, um diretor executivo da área financeira que enfrentava dificuldades com sua equipe de contadoras, composta de quatro mulheres. Elas pouco se importavam com o chefe, não confiavam nele e temiam cada reunião em que Lance apontaria suas falhas.

Sem saber o que fazer, ele solicitou treinamento.

– Reúna-se com cada uma delas em particular – aconselhamos.

– O que digo?

– Nada. Apenas ouça.

– O quê?

– A pessoa à sua frente.

– Qual será a pauta da reunião?

– Nenhuma.

– O que pergunto a elas?

– Como está a sua vida? Como se sente na empresa? O que você mudaria aqui?

– E depois?

– Depois é só ouvir.

– Não sei se consigo fazer isso.

A origem do moral baixo das contadoras fora identificada. O restante dependia do próprio Lance.

4. Seja a causa, não o efeito

Pessoas superficiais acreditam na sorte. Pessoas fortes e inteligentes acreditam em causa e efeito.

Ralph Waldo Emerson

Um motivador competente pergunta: "O que queremos estimular hoje? O que queremos produzir?"

Essas são as melhores perguntas que um gerente pode fazer. Quem tem dificuldade de administrar pessoas simplesmente não consegue perguntar essas duas coisas a si próprio, pois está sempre pensando no que está acontecendo *consigo mesmo,* em vez de pensar no que está fazendo acontecer.

Quando a equipe encarar o líder como *causa* em vez de efeito, não será difícil ensiná-la a pensar da mesma forma. Em breve, você levará seus funcionários a alcançar um desempenho muito superior ao que esperavam de si mesmos.

Você pode fazer isso acontecer.

5. Pare de criticar o alto escalão

Duas coisas são ruins para o coração: correr ladeira acima e derrubar pessoas.

Bernard Gimbel, empresário

Distanciar-se de seus superiores é uma tentação enorme.

Talvez você faça isso para conquistar a simpatia da equipe e criar um laço ao se colocar no mesmo nível de seus liderados, mas isso não irá funcionar. Na verdade, acabará destruindo a confiança dos funcionários. Ao agir assim, você enviará três mensagens muito prejudiciais ao moral e à motivação:

1. Não se pode confiar nesta organização.
2. Nossa própria administração está contra nós.
3. O líder de nossa equipe é fraco e impotente dentro da empresa.

Isso leva a um desagradável, porém irrefutável, tipo de vínculo, assim como a profundos problemas de confiança e conseqüente desrespeito pela integridade da organização. O desprezo pelo alto escalão pode ser demonstrado de maneira dissimulada (com um revirar de olhos ante a menção do nome do diretor financeiro) ou abertamente ("Não sei por que estamos fazendo isso. Nunca sou consultado sobre a política da empresa, provavelmente porque sabem que discordo"). Esse erro é agravado pela repetição da palavra "eles": "Eles querem...", "Não sei por que eles decidiram que fizéssemos isso...", "Eles não entendem os problemas que vocês estão enfrentando...". Eles, eles, eles.

O pronome "eles" usado em excesso se torna quase uma obscenidade e consolida a impressão de que somos vítimas isoladas e incompreendidas.

Um verdadeiro líder deve ter a coragem de *representar* a direção, não tentar desacreditá-la. Um verdadeiro líder nunca usa a palavra "eles" para se referir aos executivos da empresa. Um verdadeiro líder usa a palavra "nós".

6. Faça uma coisa de cada vez

Administrar é fazer as coisas da maneira certa; liderar é fazer as coisas certas.

Peter Drucker

Você não poderá motivar os outros se não estiver fazendo a coisa certa. Para se manter relaxado e centrado, é importante não estar disperso ou distraído nem querer abraçar o mundo com as pernas.

Não corra de um lado para o outro pensando que há tarefas demais a executar. A verdade é que *só há uma coisa a fazer* a cada momento e você deve se concentrar nisso.

Se realizar um serviço como se fosse o único em que precisa pensar, ele será extremamente bem-feito, e sua relação com qualquer outra pessoa envolvida no trabalho será melhor, mais relaxada e cheia de confiança do que antes.

Uma análise do meu trabalho no último mês mostra que realizei inúmeras tarefas, mas me dediquei a uma de cada vez. Na verdade, mesmo nos momentos em que estive mais ocupado, só consegui fazer uma coisa por vez, apesar de ficar estressado e de pressionar os outros ao pensar em 10 coisas ao mesmo tempo. Assim, eventualmente, as pessoas perceberam o meu nervosismo e sentiram que não receberam a atenção merecida.

Realizar mais de uma tarefa ao mesmo tempo gera medo, adrenalina e ansiedade. E o líder que age assim acaba afastando as pessoas.

A mente segue um pensamento de cada vez, e apenas um.

A maior fonte de estresse no local de trabalho é o processo de tentar lidar ao mesmo tempo com muitas idéias, tarefas, probabilidades e preocupações. A mente não é capaz de fazer isso – nem mesmo a de Einstein.

Faça uma única coisa de cada vez.

É preciso analisar a lista de tarefas a cumprir, escolher uma delas e executá-la como se fosse a única. Se o mais importante no momento é dar um telefonema, trate de desacelerar e relaxar para que seja uma boa experiência da qual o interlocutor e você possam tirar algum proveito.

Na semana passada, conversamos com Jason, gerente de vendas de uma grande empresa. Ele acabara de fazer uma teleconferência para motivar seu pessoal, mas passara todo o tempo reclamando que, naquele ritmo, as metas não seriam atingidas. Jason convocara a reunião porque seus superiores estavam insatisfeitos com o desempenho da equipe.

Embora ele viesse trabalhando 12 horas por dia, percebia que estava ficando para trás. Sentindo-se confuso e pressionado, Jason se descontrolou e descontou em seu pessoal.

Isso não é motivação. É pressão.

Para motivar sua equipe, o líder deve se manter calmo e centrado, focado em uma tarefa de cada vez.

7. Dê feedback sempre

A ausência de um feedback apropriado e no tempo certo é a maior crueldade que podemos infligir a um ser humano.

Charles Coonradt, consultor de empresas

Todos nós precisamos de feedback.

Tente ignorar uma criança de 3 anos. No início, ela pedirá atenção de forma positiva. No entanto, se for continuamente ignorada, logo você ouvirá barulho ou choro, porque *qualquer feedback, mesmo negativo, é melhor do que nenhum.*

Alguns pensam que esse princípio só se aplica a crianças, mas o fato é que se aplica melhor ainda a adultos. Por exemplo: a forma mais cruel de punição na prisão é o confinamento na solitária. A maioria dos prisioneiros fará *qualquer coisa* – até melhorar seu comportamento temporariamente – para evitar uma situação com pouco ou nenhum feedback.

Talvez você já tenha ouvido falar do efeito relaxante de uma câmara de privação sensorial. A pessoa é colocada por alguns minutos num casulo com todas as luzes apagadas e sem ouvir qualquer som. Ela fica flutuando em água salgada na temperatura do corpo. É fantástico por alguns minutos, mas não por muito tempo.

Certo dia, o funcionário responsável por um desses tanques abandonou o emprego num acesso de raiva e se esqueceu de tirar um cliente da câmara. Várias horas depois, o cliente foi resgatado e teve de ser hospitalizado. Não por qualquer dano físico, mas pela psicose causada pela privação de feedback sensorial. O que ocorre quando todo feedback exterior é cortado é que a mente fabrica seu próprio feedback em forma de alucinações que geralmente personificam os piores medos da pessoa. Os pesadelos e terrores resultantes podem levar qualquer pessoa à loucura.

Vejamos como isso se aplica à sua equipe. Se você corta o feedback, a mente deles fabricará o próprio feedback, geralmente baseado em seus piores receios. Não é por acaso que falta de confiança e falta de comunicação sejam os dois problemas organizacionais citados com mais freqüência nas pesquisas com funcionários.

Um dos mais famosos dispositivos de tortura dos serviços secretos é colocar o prisioneiro insubordinado na "sala escura". O tempo passado em total privação sensorial costuma dobrar a vontade do prisioneiro com mais rapidez do que os castigos físicos.

Peguemos o cenário doméstico para outro exemplo. O marido está querendo que a mulher se apronte para um evento social. Ela pergunta:

– Este casaco ficou bem em mim?

– Ótimo, maravilhoso. Vamos!

– Ah, eu *sabia* que não ficava bem com ele. Não consigo achar outra coisa para vestir! – diz ela.

Os seres humanos anseiam por feedback *verdadeiro*, não por algumas palavras paternalistas e pacificadoras.

Os gerentes que têm mais problema para motivar a equipe são os que dão menos feedback. E quando as pessoas perguntam "Como estamos indo?", eles dizem: "Não tenho certeza. Não vi os relatórios ainda, mas tenho a *sensação* de que estamos indo muito bem este mês."

Esses gestores têm muito mais dificuldade em conseguir que suas equipes melhorem. O progresso exige um feedback contínuo. E se você pretende tirar o máximo de seu pessoal, é imperativo que seja o mais atento possível aos números e ao que eles significam. Os bons motivadores fazem o dever de casa. Conhecem os resultados e mantêm sua equipe informada.

8. Obtenha boas idéias de seu pessoal

Não apenas uso todos os cérebros de que disponho como todos os que posso pedir emprestado.

Woodrow Wilson

Bons líderes estão sempre abertos às idéias de sua equipe. Tal prática não só é boa para os negócios, como também altamente motivadora para gerentes e funcionários.

Um bom líder perguntará à equipe: "Quando o cliente telefonar com uma pergunta, como sinalizar que somos diferentes de outras empresas e que o cliente se sentirá mais bem acolhido e à vontade conosco? Como estabelecer uma relação de confiança por telefone? Que idéias vocês têm a respeito disso?"

Nossa habilidade de motivar os outros está diretamente relacionada à qualidade das perguntas que fazemos.

Um gerente cujos números são medíocres chegará com questões deste tipo: "Tudo bem com vocês? Quais são as novidades? Como foi o fim de semana? Como está o departamento hoje? Com trabalho até o pescoço? Agüente firme, amigo. Os clientes estão dando um trabalhão com o novo anúncio? Idiotas. Vou passar por aí para verificar umas coisas. Não se preocupem muito, vocês são demais. Não será tão difícil assim. Conhecem o treinamento. Continuem firmes."

Esse gerente não consegue compreender por que os resultados de sua equipe são fracos.

Por outro lado, um grande líder fará perguntas que ajudem a traçar estratégias e a obter sucesso: "Como podemos tornar inesquecível a experiência de comprar algo em nossa empresa? O que devemos fazer para que o cliente crie uma relação de amizade com a nossa equipe e tenha vontade de voltar e comprar mais? Como podemos recompensar um funcionário por lembrar o nome de um cliente? Que estímulo podemos dar à equipe para que venda mais? O que precisamos fazer para a equipe se envolver mais com o sucesso da loja? O que vocês pensam a respeito?"

9. Acelere as mudanças

Toda organização precisa estar preparada para abandonar tudo o que faz para sobreviver no futuro.

Peter Drucker

Meu papel como líder é sempre manter meu pessoal animado, otimista e pronto para dar tudo de si diante de uma mudança. Esse é o meu trabalho. A maioria dos gerentes não faz isso. Vêem seu próprio papel como o de babás, solucionadores de problemas e bombeiros. E assim produzem bebês, problemas e incêndios por toda parte.

É importante conhecer a reação psicológica de seus colaboradores à mudança e saber que ela segue um ciclo previsível, de quatro estágios. Aprenda como administrar essa transição:

O ciclo de mudança

1. Negação: "Isso não é nada bom."
2. Resistência: "Eu não quero lidar com isso."
3. Reflexão: "Como posso fazer essa mudança trabalhar a meu favor?"
4. Aceitação: "Descobri como posso fazer isso funcionar para mim e para os outros."

É comum a equipe levar muito tempo para passar pelos três primeiros estágios do ciclo. A produtividade e o ânimo podem ser afetados por uma pressão vertiginosa quando os funcionários resistem à mudança. Na verdade, é da natureza humana se opor à mudança. Todos fazemos isso. Detestamos entrar debaixo de um chuveiro e depois detestamos ter de sair de lá.

No entanto, se sou um grande líder, vou querer compreender totalmente o ciclo de mudança para fazer meu pessoal ascender ao estágio da aceitação o quanto antes. Quero sua total e profunda adesão para fazer tal mudança trabalhar para eles, para mim e para a empresa.

Sendo assim, como posso ajudá-los a passar pelos estágios 1, 2 e 3?

Antes de qualquer coisa, preparo-me para comunicar a mudança do modo mais entusiástico e positivo possível. E isso significa me preparar para valer. Como muitos grandes instrutores já disseram: "Não é a vontade de vencer que ganha o jogo, e sim *a vontade* de *se preparar* para vencê-lo." Vou me informar sobre a mudança para poder ser um porta-voz entusiasmado a favor dela.

A maioria dos chefes não faz isso. Eles percebem que seu pessoal é contrário à mudança e acabam se identificando com a resistência, simpatizando com o protesto e admitindo que mudar é mesmo um aborrecimento. Chegam até a se desculpar pelo que está acontecendo.

– Sinto muito. Vocês já têm de lidar com tanta coisa. É um absurdo que isso esteja ocorrendo agora.

Toda mudança interna é feita para melhorar a viabilidade ou a eficácia da organização. São esses os únicos argumentos que desejo vender. Quero que meus funcionários vejam a vantagem disso para *eles mesmos*. Quero que de fato vejam por si próprios que uma empresa mais viável é um local mais seguro para se trabalhar.

E as mudanças externas? Nesse caso, chamo a atenção da equipe para o fato de que a concorrência enfrenta os mesmos problemas. Então sublinho a superioridade da nossa estratégia, que é capaz de tornar qualquer mudança muito vantajosa para a companhia.

Também procuro fazer com que o espírito de mudança esteja sempre vivo na equipe, como um hábito positivo, pois mudamos o tempo inteiro. Antes mesmo de sermos obrigados a fazê-lo.

10. Conheça os donos e as vítimas

Os que seguem a parte de si mesmo que é grande se tornarão grandes. Os que seguem a parte que é pequena se tornarão pequenos.

Mêncio, filósofo chinês

As pessoas que você motiva se dividem em duas categorias: donos ou vítimas. Os *donos* assumem total responsabilidade por sua felicidade, e as *vítimas* se escondem atrás de suas histórias infelizes, culpando os outros e as circunstâncias por seus problemas. Os donos comandam sua reação diante de qualquer situação. As vítimas, por sua vez, culpam o acaso.

Recentemente, no intervalo de um seminário, o presidente de uma empresa nos abordou.

– Tenho muitas vítimas trabalhando para mim – disse Marcus.

– Faz parte de nossa cultura – respondeu Steve.

– Eu sei, mas o que devo fazer para que reconheçam sua tendência ao papel de vítima?

– Esqueça isso. Tente algo diferente, procure ficar animado quando eles *não* agirem como vítimas. Tente enfatizar as ações de *donos;* valorize-os quando se mostrarem proativos e assumirem a responsabilidade pelo que lhes acontece.

– O.k. Quais são as melhores técnicas para usar com cada tipo de pessoa? – perguntou Marcus. – Quero dizer, eu tenho os dois tipos. Tenho donos também. Você os trata de modo diferente?

– Com os donos, você não precisa de técnicas. Basta valorizá-los – explicou Steve. – E não há dúvida de que o fará. Com as vítimas, seja paciente. Escute-as com empatia. Você pode ser solidário sem aceitar seu ponto de vista. Mostre-lhes o outro lado. Explique-o para eles. Verão com os próprios olhos que uma nova atitude traz melhores resultados.

– Você não pode ir à minha empresa e fazer um seminário para eles sobre como ser dono? – perguntou Marcus.

– Mesmo que treinemos os membros de sua equipe para pensar como donos, você terá de guiá-los nesse sentido todos os dias, ou o ensinamento se perderá facilmente. Descubra seu próprio modo de liderá-los. Planeje-o de forma a incorporar sua própria personalidade e estilo. Não há receita mágica, apenas comprometimento. Pessoas decididas a ter uma equipe que assume responsabilidades, que é criativa e otimista, obterão exatamente isso. Gerentes que não estão comprometidos não irão obtê-lo. As três coisas básicas que você pode fazer são:

1. Recompense a qualidade de dono sempre que a vir.
2. Seja um dono você mesmo.
3. Assuma total responsabilidade pelo moral e pelo desempenho de sua equipe.

Marcus não estava totalmente convencido.

– Como modifico uma vítima sem aquele papo irritante de "pensamento positivo"?

– Você não precisa disso para ser um verdadeiro líder. Seja apenas realista, honesto e otimista. Focalize as oportunidades e possibilidades. Não faça fofoca nem passe por cima das pessoas. Não há truque confiável que sempre funcione, mas, quando você dá o exemplo e aprecia, recompensa e destaca a qualidade de dono em seus funcionários, fica cada vez mais difícil para as pessoas bancarem a vítima. Lembre-se de que assumir o papel de vítima é uma forma de manipulação. Você não precisa fingir que é um ponto de vista válido intelectualmente, porque não é.

– Certo, entendi. Isso parece possível – disse Marcus. – Mas estou pensando num colaborador que entrou há pouco tempo. Ele era ótimo nos primeiros meses, mas agora parece perdido e se sente traído. Como instilo nele o senso de dono?

– Na verdade não há como fazer isso – respondeu Steve. – Não diretamente. Por sua própria natureza, o "senso de dono" é cultivado pelo próprio dono. Mas você pode encorajar, alimentar e até comemorar qualquer atitude positiva nesse sentido. Assim, o senso de dono pode florescer.

11. Lidere da linha de frente

Você não pode mudar as pessoas. Você deve ser a mudança que deseja ver nelas.

Gandhi

Não há nada mais motivador do que liderar da linha de frente.

É bastante motivador e inspirador para os funcionários quando você mesmo faz o que quer que eles façam. Seja inspirador. Seu pessoal prefere ser inspirado a ser consertado ou corrigido.

Como prática motivacional, liderar a partir da linha de frente é mais impactante e perdura mais do que qualquer outra prática. É o modo mais profundo e completo que existe para mudar as pessoas.

Portanto *seja* o que você quer ver no outro.

Se quiser que seu pessoal seja mais positivo, seja mais positivo. Se quiser que se orgulhem mais de seu trabalho, dê o exemplo. Mostre-lhes como se faz. Quer que tenham uma boa aparência e se vistam de maneira profissional? Tenha uma aparência melhor você mesmo. Quer que sejam pontuais? Chegue sempre cedo e diga a eles o que a pontualidade significa para *você*, não para eles.

E como o general George Patton costumava dizer: "Há três princípios de liderança: 1) exemplo, 2) exemplo, 3) exemplo."

12. Exalte o papel do pensamento

> *Os grandes homens são os que percebem que o pensamento é mais forte do que qualquer força material. Os pensamentos governam o mundo.*
>
> Ralph Waldo Emerson

A chefe do departamento de pessoal de uma escola, Jaqueline, nos contou a história de um funcionário da manutenção que se queixava de não agüentar mais fazer a mesma coisa depois de 20 anos no emprego.

– Estou esgotado e preciso de uma mudança – declarou o funcionário.

– É possível – respondeu Jaqueline. – Mas talvez fosse melhor tentar gostar daquilo a que você resiste. Caso contrário, provavelmente vai esbarrar com o mesmo problema no próximo emprego.

– Não sei se acredito nisso – replicou o funcionário. – E, mesmo se acreditasse, como seria possível?

– Bem – disse Jaqueline –, qual é o objetivo mais nobre do seu trabalho, que vai além de apertar porcas e parafusos todos os dias?

– Isso é fácil – respondeu ele. – O objetivo mais nobre do meu trabalho é salvar vidas de crianças diariamente.

– Ótimo! – murmurou ela. – Agora, a cada manhã, quando chegar ao trabalho, estará claro para você que sua responsabilidade é muito grande. Assim, o relógio de ponto deixará de ter relevância.

Jaqueline apresentara ao funcionário um novo modo de pensar. Colocara-o em contato com o poder do pensamento para transformar a experiência.

Assegure-se de que todas as pessoas que você quer motivar compreendam o papel do *pensamento* na vida. Não há nada mais importante.

Por que a chuva deprime uma pessoa e deixa outra feliz? Se são as coisas que "fazem" o indivíduo sentir algo, por que a chuva faz determinada pessoa sentir uma coisa e outra pessoa sentir algo diferente? As duas pessoas não deveriam sentir a mesma coisa?

Um colaborador poderia dizer: "Ah, não, chuva de novo. Que deprimente." Outro poderia dizer: "Que beleza! Vai cair uma chuva maravilhosa e refrescante!" Porque não é a chuva que faz eles experimentarem determinada sensação. Nenhuma pessoa, lugar ou coisa pode fazer você sentir algo.

É o *pensamento* que gera os sentimentos. E, a partir das suas experiências com liderança, você pode ensinar ao seu pessoal este conceito tão importante: o conceito do pensamento. Nada no mundo tem significado até lhe atribuirmos um. Os membros de sua equipe geralmente olham para *você* em busca de significado. O que essa nova diretriz significa realmente?

Você percebe a oportunidade que tem? Por que não usar esse poder?

Os gerentes não deixam seus funcionários com raiva; os próprios pensamentos dos funcionários os deixam com raiva. E eles só se sentirão assim se pensarem coisas que os deixem com raiva.

Seu pessoal é livre para pensar o que quiser. Tem total liberdade de pensamento. Em 150 d.C., Marco Aurélio escreveu: "A alma é tingida pela cor de seus pensamentos."

Os indivíduos só se sentem motivados quando têm pensamentos que os motivam. O pensamento governa, a circunstância não. Quanto mais próxima for sua relação com essa verdade, mais eficiente você será como líder.

13. Diga logo a verdade

Pergunta: quantas patas tem um cachorro, se você considerar a cauda dele uma pata? Resposta: quatro. Chamar uma cauda de pata não a torna uma pata.

Abraham Lincoln

Todos os grandes líderes têm algo em comum: eles dizem a verdade mais rapidamente do que as outras pessoas.

Ao trabalhar com gerentes que desejam motivar sua equipe, escutamos tudo o que eles têm a dizer e depois tentamos convencê-los a deixar os problemas de lado. Mas alguns gerentes querem nos persuadir de que não têm como superar suas limitações. Parece uma obsessão.

Certo dia, durante uma difícil sessão de treinamento individual com um vendedor, Steve disse bruscamente para ele:

– Olha, você está mentindo para mim.

– O quê? – espantou-se o vendedor.

– Você está mentindo. Não me diga que não há nada que possa fazer. Há muita coisa que pode fazer. Você e eu precisamos trabalhar com a verdade, porque assim você alcançará o sucesso muito mais rápido do que se agir desse modo, enganando a si mesmo.

O cliente ficou chocado. Dificilmente chamar alguém de mentiroso é uma boa forma de construir uma relação. Não é recomendável. Mas o extraordinário é que o vendedor de repente começou a sorrir.

– Sabe de uma coisa? Você está certo – disse ele.

– O quê? – perguntou Steve.

– Você tem razão. Aquilo que eu disse não é verdade. Posso fazer muita coisa.

Eis a principal mentira que se ouve no mundo dos negócios e principalmente no das vendas: "Não há nada que eu possa fazer." A verdade é que sempre se pode fazer alguma coisa. É preciso apenas escolher o modo mais criativo e eficiente de fazê-lo. Como Shakespeare escreveu: "Ação é eloqüência."

Uma vendedora que conheço começa o dia se perguntando: "Se eu estivesse treinando a mim mesma, o que me aconselharia a fazer neste momento? Que ação criativa e benéfica eu poderia executar para provocar a gratidão do meu cliente no final? Que ação me daria maior retorno?"

Outro antídoto para a sensação de "Não há nada que eu possa fazer" é se perguntar: "Se eu fosse meu cliente ou um cliente em potencial, o que gostaria que o vendedor fizesse?"

Os grandes vendedores e todas as pessoas que lideram suas equipes e sabem tirar proveito de sua profissão são grandes doadores. Mantêm-se em contínuo contato com seu poder de *fazer muito*, doando constantemente a seus clientes internos e externos informações úteis, ofertas de serviço, respeito pelo tempo deles, apoio por seu sucesso, encontros animados e cordiais, agradecimentos sinceros – doando, doando, doando o dia inteiro, sempre colocando o desejo e as necessidades do cliente em primeiro lugar. Eles sempre fazem as melhores perguntas e ouvem melhor do que qualquer um. À medida que esse compromisso cresce e se expande, esses vendedores se tornam especialistas em psicologia do cliente e comportamento do comprador. E percebem que só é possível obter sucesso numa relação em que os dois lados ganhem.

Ao começar uma nova semana, tenha o seguinte pensamento em mente: "Há *muita* coisa boa que eu posso fazer. Mal posso esperar!"

14. Não confunda estressar-se com importar-se

> *O estresse, além de existir em si mesmo e ser o resultado de si mesmo, é também a causa de si mesmo.*
>
> Hans Selye, psicólogo

A maioria dos gerentes usa uma dupla negativa como estratégia para motivar os outros. Primeiro, eles se aborrecem deliberadamente ante a perspectiva de *não* alcançar seus objetivos, então usam o aborrecimento como energia negativa para inflamar a equipe.

Isso não funciona.

Estressar-se com os objetivos de sua equipe não é o mesmo que importar-se com os resultados. O estresse não é uma forma útil de motivação.

Nenhum profissional atua bem se estiver tenso ou estressado. Nenhum líder, nenhum vendedor, nenhum atleta, nenhum investidor, nenhum atacante de futebol, nenhum pai ou mãe.

Quem age sob estresse só tem acesso a uma pequena parte da própria habilidade e inteligência. Se o seu time está em campo, você quer uma pessoa estressada e tensa cobrando uma falta ou um pênalti no último minuto do jogo? Não prefere ver um jogador calmo e autoconfiante enfrentando o desafio?

A maioria das pessoas se estressa como forma de mostrar que "realmente se importa" em atingir um objetivo. Mas isso não é se importar, é se estressar, e só piora o desempenho da pessoa. Já importar-se verdadeiramente melhora esse desempenho. Por isso é tão vital para um líder saber a diferença entre as duas coisas.

Importar-se é relaxar, manter o foco e reunir *todos* os seus recursos, toda aquela mágica relaxada, aquela dinamite inativa que você faz surgir quando presta total atenção e tem paz de espírito. Ninguém atua melhor do que quando está relaxado e concentrado no objetivo.

A professora de criatividade Natalie Goldberg observa: "O estresse é basicamente uma desconexão com a Terra. É esquecer de respirar. Nesse estado ignorante, a pessoa acredita que tudo é uma emergência. Nada é tão importante. Relaxe."

Não é necessário se estressar, apenas focar e continuar focando. Qualquer coisa em que você se concentre se expandirá. Não desperdice sua atenção com problemas sem importância. Aplique-a onde você deseja obter os melhores resultados: com clientes, compradores, dinheiro ou seja o que for. De um modo relaxado e feliz, seja incansável, focado, tranqüilo e poderoso. Você alcançará o sucesso.

15. Administre seus superiores

Não existe crítica construtiva.

Dale Carnegie

Jean gerenciava um grande grupo hospitalar para o qual estávamos trabalhando. Ela recebeu bem o treinamento que fazíamos, mas tinha uma pergunta insistente sobre seus superiores.

– Temos nos reportado a muitos chefes diferentes – disse ela. – No momento em que nos acostumamos a trabalhar para um determinado diretor executivo, o hospital aparece com alguém novo.

– E qual é exatamente o problema? – perguntamos.

– Bem, com tantas mudanças na liderança ao longo dos anos, como estabelecemos uma relação de confiança?

– Confiando no processo. Confiança não é o mesmo que verificação, é preciso arriscar. E mudanças de liderança não são necessariamente boas ou ruins. A questão é: você é capaz de conviver com a mudança? Não importa se houve ou não muita mudança, e sim o que você vai fazer para tirar proveito da situação.

– E se não gostarmos da liderança atual? – insistiu ela.

– Do que você não gosta?

– Eles nos mandam mensagens confusas! – disse Jean. – Como manter uma postura de dono quando recebemos mensagens contraditórias da direção?

– Toda grande organização com a qual já trabalhamos tem enfrentado, em graus diversos, essa questão. Isso acontece porque somos humanos, e é difícil coordenar uma porção de pessoas enérgicas e criativas para que funcionem como uma só.

– Concordo – disse Jean. – É um desafio.

– Um desafio com o qual é preciso lidar. Mas não é necessário transformá-lo em fonte de abatimento ou depressão. Temos visto com freqüência a "mensagem de cima" tornar-se mais coerente e unificada quando o pedido de unidade vindo "de baixo" torna-se mais benevolente e criativo.

– Você está dizendo que eu devo *administrá-los* um pouco melhor?

– Exatamente.

– Com "benevolência" e "criatividade"?

– Essas são as palavras-chave.

16. Não banque o bombeiro

Líderes sábios e grandes empreendedores aprendem com o tempo que não podem eliminar todos os problemas... nem devem querer fazê-lo.

Dale Dauten

Por que tantos gerentes são líderes ineficazes?

Porque são bombeiros. Quando você se torna um bombeiro, não lidera mais. Não decide em que direção sua equipe está indo. O incêndio decide por você. (O *incêndio* é qualquer problema que tenha sido deflagrado e que exija seu tempo e sua imaginação.)

O incêndio controla sua vida. Você acha que está controlando o incêndio, mas é o incêndio que o controla.

Você perde o senso de oportunidade. Fica cego para as possibilidades porque está mergulhado no incêndio – e passa a ser definido por ele.

Se você é um gerente que não sabe motivar, mesmo após extinguir o fogo, pula de novo no carro e parte pela empresa à procura de outro incêndio. Em pouco tempo *só conhecerá incêndios* e tudo o que vai fazer é combatê-los. Mesmo quando não houver um incêndio real, você encontrará algo que *redefinirá* como incêndio, pois é um bombeiro e gosta de ação.

Um grande motivador não combate incêndios 24 horas por dia, sete dias por semana. Um verdadeiro motivador lidera sua equipe do presente para o futuro. Um incêndio só se torna relevante quando fica no caminho daquele objetivo futuro. Às vezes o líder nem precisa apagar o incêndio. Ele pode simplesmente se desviar do fogo para obter o que deseja no futuro.

Já um bombeiro irá parar tudo e combater todos os incêndios. Essa é a diferença básica entre um gerente inconsciente (que deixa os incêndios ditarem o ritmo de seu trabalho) e um líder consciente (que segue seus objetivos).

17. Entenda o que é liderança

Pessoas não podem ser administradas... Um inventário pode ser administrado, mas pessoas devem ser lideradas.

H. Ross Perot

Há uma pergunta que ouvimos com freqüência: a liderança não é algo com que se nasce? Certas pessoas não são chamadas de *líderes natos?*

Sim, mas isso é um mito. A liderança é uma habilidade que pode ser ensinada e aprendida em qualquer idade se houver empenho. Logo, as empresas *podem* transformar seus gerentes em líderes.

Ora, se isso é verdade, por que nem todas o fazem?

Os donos de empresas, em sua maioria, nem sabem o que é um líder. Não lêem livros sobre liderança, não participam de treinamentos para desenvolver essa habilidade nem fazem reuniões em que esse tema seja discutido. Como não sabem definir o que é liderança, fica difícil estimulá-la ou cultivá-la.

A solução para isso é ter em mente o que é ser um bom líder.

As pessoas não são motivadas por quem não consegue imaginar o que é uma grande liderança.

Em seu livro inovador sobre administração, *The Laughing Warriors* (Guerreiros que riem), Dale Dauten apresenta o lema de vida de um grande líder:

- Pense como um herói (Quem posso ajudar hoje?).
- Trabalhe como um artista (Que mais podemos experimentar?).
- Recuse-se a ser comum (Persiga a excelência, depois supere-a).
- Celebre (Mas não aceite crédito algum).

Visualizar essas características já é um grande passo para fazer a diferença como líder.

18. Administre acordos, não pessoas

Os que demoram mais a fazer uma promessa são os mais fiéis na hora de cumpri-la.

Jean-Jacques Rousseau

– Alguém aqui trabalha com pessoas que parecem "inadministráveis"? – perguntou Steve na abertura de um de seus seminários sobre liderança.

Os gerentes que lotavam o auditório assentiram com a cabeça e sorriram. Alguns reviraram os olhos em concordância. Obviamente tinham muita experiência em lidar com pessoas daquele tipo.

– Como se faz isso? – perguntou um deles. – Como se administra pessoas não administráveis?

– Não sei – disse Steve.

– Não sabe? O que quer dizer? Estamos aqui para descobrir como fazer isso – disse alguém.

– Nunca vi ninguém fazer isso – disse Steve. – Porque acho que, no fundo, todas as pessoas são bem pouco administráveis. Nunca conheci alguém que fosse bom em administrar pessoas.

– Então por que fazer um seminário sobre isso se a coisa não pode ser feita?

– Você acha que pode ser feita? Você realmente administra sua equipe? Sua mulher? Consegue fazê-lo? Acho que não.

– Bem, então estamos dispensados?

– Claro que não. Podemos permanecer e aprender como os grandes líderes conseguem obter ótimos resultados de seus funcionários. Sem administrar as pessoas, porque não se pode fazer isso.

– Se não administram pessoas, fazem o quê?

– Administram acordos.

Os gerentes cometem um equívoco quando tentam administrar pessoas, pajeando os mais insatisfeitos, não em nome de uma comunicação e um entendimento melhores, mas para conter a oposição e ganhar a admiração de todos.

Isso resulta em uma pobre administração do tempo e em muita psicoterapia amadora e ineficaz. Também estimula os colaboradores a assumirem uma posição mais imatura em sua comunicação com a chefia, praticamente uma tentativa de serem "adotados" por um supervisor paternalista, em vez de ter com ele uma relação adulta.

A primeira responsabilidade de um líder é certificar-se de que sua relação com os liderados é madura. Um líder é compassivo e sempre busca entender os sentimentos alheios, mas não tenta *administrar* esses sentimentos.

Em vez disso, estabelece e administra acordos. Toda comunicação é feita com respeito. O líder não cede à tentação de ser intimidador, mandão ou sabe-tudo.

Uma vez que os acordos são feitos entre adultos, as pessoas

não precisam mais ser administradas. O que é administrado é o acordo. É mais maduro e respeitoso agir assim, e os dois lados usufruem uma comunicação mais aberta e confiante. Dessa forma, ambas as partes assumem suas responsabilidades, o que torna mais fácil discutir assuntos desconfortáveis.

O funcionário Harry, por exemplo, sempre chegava tarde às reuniões da equipe. Muitos gerentes lidariam com o problema falando mal dele pelas costas ou tentando intimidá-lo com sarcasmo. Outros lhe dariam um gelo, não retornariam seus telefonemas, ou reuniriam-se com Harry para bancar o terapeuta. Mas nossa cliente, Jill, não fez nada disso.

Ela fez um acordo com Harry para que os dois chegassem pontualmente às reuniões. E concordaram em cumpri-lo. Jill percebeu que, quando dois adultos entram em acordo no trabalho, isso traz benefícios para a empresa, estimulando cada um a assumir suas responsabilidades e gerando níveis mais altos de autoconscientização e auto-respeito.

O impacto mais benéfico de administrar acordos se observa na comunicação, que passa a ser mais honesta, aberta e completa. A administração de acordos acaba com a abordagem do tipo "Vou cuidar de você como se fosse seu pai. Você é uma criança má, mas sei que você tem seus motivos, suas desculpas e suas histórias. Mesmo assim estou decepcionado com você". Isso não é administração, não é liderança. Nem sequer é profissional. Essa abordagem pai-filho, utilizada por oito entre dez administradores, é mecânica e intuitiva.

O problema é que a pessoa administrada não se sente respeitada nessa troca. E as condições mais importantes para um bom desempenho profissional são confiança e respeito.

Digamos que minha equipe tenha concordado em fazer algo. Todos se comprometeram a assistir a um DVD e depois fazer um teste na internet. Entretanto, não o fazem. O que isso significa? O que diz sobre eles? O que diz sobre mim?

Significa que preciso fortalecer meu acordo com esses funcionários. Eles não fizeram nada "errado". Não preciso repreendê-los. Simplesmente não tenho um acordo muito firme com eles.

Assim, preciso me sentar com cada um e dizer: "Você e eu temos que fazer um acordo porque isso precisa ser feito, sem interferir no seu trabalho do dia-a-dia. Vamos conversar. Deixe-me ajudá-lo para que essa tarefa seja executada. Ela não é opcional, portanto você e eu precisamos ser co-autores de um acordo sobre como ela será realizada."

Então devo fazer as seguintes perguntas ao funcionário: "Você está disposto a fazer isso? Tem certeza? Sabe como fazê-lo? Precisa do meu apoio?" E, finalmente, ao término da conversa, chegamos a um consenso.

Todo acordo tem dois lados, portanto eu também estou me comprometendo a cumprir minha parte. O funcionário pode se virar para mim e dizer:

– Sabe, uma das dificuldades é que não temos um aparelho de DVD no escritório.

E eu teria que providenciar o aparelho, pois um líder está sempre servindo. Não apenas decretando a lei, mas servindo. E sempre perguntando: "Posso fazer algo por você? Como posso lhe ser útil e ajudá-lo com isso?"

Ao fechar um acordo, o líder quer uma promessa absoluta e um desempenho absoluto:

– Posso contar 100% com você para executar essa tarefa?

– Claro que sim.

Ótimo. Os dois lados apertam as mãos e saem da reunião com um acordo que construíram dentro do respeito mútuo, da conversa profissional e adulta. Ninguém foi "administrado".

19. Concentre-se no resultado, não na desculpa

Um líder deve ser capaz de modificar uma organização sem sonhos, alma ou visão... precisa fazer soar o despertador.

Warren Bennis, especialista em liderança

Se você é gerente de vendas, provavelmente sentiu a mesma frustração que Frank, um gerente de São Francisco, quando falou conosco um tempo atrás.

– Preciso saber como transmitir a mensagem de "Simplesmente Faça" ao meu pessoal – iniciou Frank. – Eu disse isso de todas as maneiras possíveis e acho que estou começando a parecer um disco quebrado. Nem sei por que liguei para vocês. Achei que talvez tivessem alguns conselhos para me passar ou conhecessem um livro no qual eu pudesse encontrar a resposta.

– Qual é o seu problema, especificamente?

– Metade da equipe que gerencio é composta de pessoas totalmente improdutivas! – queixou-se Frank. – E continuo dizendo a elas: "Isso não é mágica... é preciso meter a mão na massa e fazer o trabalho... Mexam-se, consigam indicações, dêem 70 telefonemas, visitem 10 compradores em potencial a cada semana e vejam como vocês vão ter sucesso."

– E o que está faltando? – perguntamos. – O que há de errado com sua equipe? Por que seus vendedores não estão fazendo o trabalho direito?

– Foi por isso que liguei para vocês. Se eu *soubesse*, não teria ligado.

– Ora, não é apenas o "simplesmente fazer", é o "simplesmente querer".

– Mas todos eles dizem que querem. Querem as comissões e o sucesso.

– Se quisessem de verdade, eles teriam isso.

– Então acha que as pessoas conseguem tudo o que querem?

– Acho.

– É mesmo? Não concordo.

– Nós, seres humanos, sabemos como obter o que queremos. Somos sistemas biológicos planejados para isso.

Conversamos por mais tempo. Queríamos que Frank visse que seus colaboradores estão produzindo menos porque *não* querem produzir. Se você é gerente, precisa entender isso. Se é um funcionário não-produtivo, também precisa entender.

Os não-produtivos não estão no setor de vendas para concentrar toda a atenção no êxito das vendas. Se o fizessem, seriam produtivos. Ainda que digam que estão focados nos resultados, não é verdade. Estão em vendas por outros motivos... acreditam que precisam do dinheiro, talvez, e por isso pensam que "devem estar" lá.

Entretanto, não conseguem qualquer estímulo intelectual ou motivação além do "devem". O "devem" os destina ao fracasso, porque partem do princípio de que ainda são crianças tentando satisfazer as expectativas dos outros. Não há poder nisso. Nem foco. Nem estímulo.

Os vendedores que fazem o dia inteiro o que acham que "devem fazer" convertem os superiores em seus pais. Então regridem à infância, choramingam e se queixam. Mesmo quando você tenta administrar minimamente as atividades deles, mesmo quando lhes mostra eloqüentemente que a Atividade A leva ao Resultado B (sempre) e que o Resultado B leva ao Resultado C (sempre), ainda assim executam suas atividades sem entusiasmo e buscam em vão um novo "modo de fazer".

Frank começou a enxergar o processo muito claramente, mas ainda não encontrara a solução.

O que ele precisa administrar é o *querer*, não o *como fazer*. Precisa de um curso rápido de gerenciamento de resultados, pois, como a maioria das pessoas, está preso ao mundo do gerenciamento do processo. A verdadeira alegria da liderança só aparece quando se obtém resultados.

– Digam-me o que eu devo fazer – perguntou Frank, depois de entender perfeitamente a idéia.

– Quando você tiver a meta de vendas dos não-produtivos para discussão, extraia informações dela e cultive o "por quê". Por que você quer isso? O que isso fará por você? Algo além disso? Se lhe disséssemos que há atividades que o fariam chegar inevitavelmente a determinado número, você as executaria? Por que não? Prometeria a mim e a você mesmo que executaria essas atividades até atingir a meta? Por que não?

Se você é um gerente como Frank, tenha em mente que há pessoas em sua equipe que não querem realmente o que afirmam, e nem sequer notam isso. Você sabe que, se elas desejassem de fato ser produtivas, nada no mundo poderia detê-las.

Chamamos de Transtorno do Déficit de Intenção a disfunção que está sempre no âmago da não-produção. Não é um déficit de técnica ou de know-how. Técnica e know-how são *vorazmente* adquiridos por quem tem a firme intenção de ser bem-sucedido.

O verdadeiro truque de longo prazo para a boa administração é contratar pessoas que almejam o sucesso. Uma vez que tenha dominado essa complexa forma de arte, você conseguirá bons resultados. Mas nos tornamos preguiçosos no processo de contratar, procurar e escutar as coisas que estão erradas.

Por que fazemos isso? Por que deixamos passar essa crucial falta de desejo no processo de contratação? A resposta é a seguinte: a pessoa que contratamos realmente chega imbuída de um grande "querer" quando se trata de obter o emprego. De fato quer o emprego. No entanto, isso é bem diferente de querer ter êxito no emprego. São dois objetivos completamente diferentes. Assim, nos confundimos no processo de entrevista, escutando pela metade, e tomamos o ardente desejo do candidato de *conseguir o emprego* por um ardente desejo de ter êxito.

Os melhores gerentes e executivos que treinamos sempre dedicam mais tempo e preocupação ao processo de contratar do que qualquer um de seus concorrentes. Então, uma vez que contratam pessoas ambiciosas, baseiam sua liderança no gerenciamento dos objetivos *pessoais* de cada funcionário.

20. Acompanhe o resultado

Quando não há comprometimento, existem apenas promessas e esperanças... não planos.

Peter Drucker

Todo empregado não-produtivo que você gerencia está com algum conflito.

Eles dizem que querem vencer e atingir as metas, mas seu trabalho revela outra coisa. Eles próprios não conseguem enxergar isso, mas você vê e fica maluco.

Finalmente vocês têm aquela conversa definitiva em que você diz: "Tenho a sensação de que quero mais isso para vocês do que vocês mesmos."

Então seus colaboradores ficam com os olhos marejados, insistindo que você está errado. E você, uma pessoa compassiva, acredita neles. Assim, lhes dá outra chance e desperdiça seu tempo, em vez de investi-lo em seus funcionários produtivos.

Lembre-se sempre de que o tempo que emprega ajudando um empregado produtivo contribui *mais* para a produção do que o que gasta com um não-produtivo.

Algumas pesquisas apontam que os gerentes perdem mais de 70% de seu tempo tentando fazer pessoas não-produtivas produzirem. E a maioria dos produtivos, quando muda de emprego, faz isso porque não recebeu atenção suficiente. Esses funcionários não se sentem valorizados pela empresa e acham que não poderiam crescer como desejam.

Se você ensinou um empregado produtivo que está vendendo 10 bolinhos por semana a vender 15, você fez ele aumentar as próprias vendas em 50%. E, melhor ainda, acrescentou cinco bolinhos ao total vendido pela equipe. Em vez disso, se passasse esse tempo com um não-produtivo e o fizesse aumentar as vendas em 50%, poderia tê-lo alavancado apenas de dois bolinhos para três. Teria acrescentado apenas *um bolinho* (em vez de cinco) à venda total da equipe. A maioria dos gerentes passa a maior parte de seus dias com o não-produtivo... acrescentando um bolinho ao total da equipe.

Os gerentes precisam simplificar, simplificar, simplificar, e não fazer o que normalmente fazem: complicar, executar várias tarefas ao mesmo tempo e complicar.

Mantenha as coisas do modo mais simples que puder para os seus funcionários não-produtivos, enfocando apenas produção e resultados. Passe cada vez mais tempo com as pessoas produtivas, que estão procurando aquela nova fronteira que só você pode lhes apresentar.

Os não-produtivos têm uma enorme lição a aprender com você: a produção deles é resultado direto do próprio desejo de atingir aquela meta determinada. As pessoas imaginam meios de conseguir o que desejam. Os profissionais improdutivos contentam-se com a *manutenção do emprego*. Se podem vender o mínimo e ainda assim ficar no emprego, estão obtendo o que querem.

O desafio do líder é redirigir todo o esforço diário para a obtenção de uma determinada meta. Se seu pessoal acreditasse que precisava atingir determinada meta, com certeza faria isso. Técnica e capacidade jamais seriam problema.

De algum modo, os colaboradores não-produtivos se convenceram de que não há uma relação direta de causa e efeito entre realizar certas tarefas e atingir a meta pretendida.

Lembra-se daqueles carrinhos de brinquedo que se chocavam contra a parede e então viravam 30° e partiam de novo? A cada vez que esbarravam em algo, eles viravam e continuavam. Se você colocar um desses carrinhos numa sala com uma porta aberta, ele sempre achará a saída. É programado para tentar até *sair*.

Os funcionários altamente produtivos também parecem estar programados para continuar experimentando até descobrirem uma saída para seus problemas. Se encontram um obstáculo, buscam imediatamente uma nova solução.

Já os não-produtivos ficam deprimidos e se desligam. Às vezes por 20 minutos, às vezes por um dia ou uma semana inteira. Eles simplesmente não viram em outra direção sempre que se chocam contra a parede.

Alguns gerentes também cometem o erro de acreditar nos problemas que seus funcionários não-produtivos acham que têm. Eles aceitam a interminável cruzada desses colaboradores para convencer todo mundo de que não há causa e efeito em seu trabalho – é tudo uma questão de sorte! Eles parecem sentir prazer em contar longas histórias sobre as tentativas que não levaram a *nada*. Todas as vezes que foram *enganados* por compradores em potencial.

O líder deve mostrar às pessoas de sua equipe que elas têm responsabilidade por seus *resultados*, assim como por seu trabalho.

Seus colaboradores não-produtivos vão sempre querer convencê-lo de todas as ações que puseram em prática. O que não desejam é assumir a responsabilidade pelos resultados. Uma boa administração de vendas é o gerenciamento de resultados, não de tarefas.

Se como chefe você pergunta a seus funcionários "Quanto de X você faz?", eles vão querer saber "Como aprendo uma técnica melhor para X?". Apesar de a busca por melhores técnicas ser algo bom, esse não é o ponto aqui. Agora você está discutindo resultados. Inconscientemente, as pessoas tentarão impeli-lo na direção da técnica e para longe dos resultados, exatamente como uma criança faz com um pai: "Papai, tentei fazer isso, mas não consigo! Não consigo!" Converse sobre técnica depois que o compromisso com os resultados estiver claro.

Num nível mais profundo, os não-produtivos ainda não querem obter resultado. Você precisa entender isso para não enlouquecer tentando compreendê-los. Eles não *querem* o resultado, e sim o emprego. Querem sua aprovação. Querem ser vistos como se estivessem "tentando arduamente". Lá no fundo, contudo, não querem o resultado. É simples assim.

Os grandes líderes passam a maior parte do tempo ajudando os colaboradores muito produtivos a irem de 10 bolinhos para 15. Divertem-se. São criativos. Alimentam-se das habilidades e do entusiasmo de seus funcionários mais produtivos. Suas equipes têm uma performance melhor do que as outras. Por quê? Porque os outros gerentes ficaram tão hipnotizados por seus funcionários não-produtivos que só sabem repetir: "*Não* há causa e efeito... não há garantias."

Simplifique. Enfoque resultados. Você sempre obterá aquilo em que se concentrar.

21. Crie um jogo

Embora alguns pensem que a vida seja uma batalha, na verdade é um jogo de dar e receber.

Florence Scovel Shinn, filósofa e escritora

Complete a seguinte frase com a primeira palavra que lhe vier à mente: "A vida é ______."

Qual foi a sua resposta? O que lhe ocorreu primeiro? Esperamos que nada muito negativo.

Seja lá o que tenha lhe passado pela cabeça, eis algo de que você pode ter certeza: é exatamente assim que a vida lhe parece agora.

Numa pesquisa entre gerentes de nível médio, a resposta mais comum foi: "A vida é uma batalha." Mas, numa pesquisa entre executivos sênior, a resposta mais comum foi: "A vida é um jogo."

Que versão da vida você escolheria, se pudesse?

Se quiser ser um líder motivador, mostre ao seu pessoal que a vida é um jogo.

O que torna qualquer atividade um jogo? É preciso contabilizar os pontos de alguma maneira para saber se as pessoas estão ganhando ou perdendo, e o resultado não deve ter importância. Assim, tudo se torna pura diversão.

Portanto, deixe claro que, embora possa haver muitos prêmios associados ao jogo, ele está sendo jogado pela diversão que fornece.

Como incorporar isso à sua vida?

O consultor Charles Coonradt, mentor e amigo de longa data, é autor do livro *O jogo do trabalho*, em que apresenta um método completo para transformar o trabalho em jogo.

Charles lembra que, quando começou a trabalhar com supermercados, no gélido setor de comida congelada, notou que os donos se viravam do avesso para agradar seus funcionários do depósito refrigerado. Permitiam que eles tivessem 10 minutos de intervalo a cada hora para se aquecer e pagavam salários diferenciados. Contudo, por mais que fizessem, os trabalhadores se queixavam amargamente do frio glacial.

"No entanto", comentou Charles, "se você pegasse esses mesmos trabalhadores e os mandasse para uma estação de esqui, num clima muito pior do que o do depósito, eles chamariam aquilo de diversão! E você não teria de lhes pagar nem um tostão! Na verdade, eles mesmos pagariam por isso!"

A chave para tornar o trabalho uma diversão, como Tom Sawyer, personagem do escritor americano Mark Twain, nos ensinou há muitos anos, é fazer com que pintar uma cerca – ou qualquer outra atividade que a maioria das pessoas consideraria uma chatice – pareça um jogo.

Randy, um de nossos clientes, estava tendo problemas com a falta de assiduidade do pessoal que gerenciava. Por muitos meses ele tentou atacar e eliminar o problema. Finalmente percebeu que talvez fosse possível tornar as coisas mais leves introduzindo o elemento do jogo.

Então, Randy criou um jogo. (Líderes criam; gerentes reagem.) Ele distribuía uma carta de baralho, puxada ao acaso, para cada funcionário que tivesse assiduidade total durante o mês. O funcionário pendurava então a carta em sua baia. Ao fim de seis meses, a pessoa com a melhor mão de pôquer ganhava um ótimo prêmio; a segunda e a terceira melhores mãos também ganhavam bons prêmios em dinheiro.

"O problema com as ausências praticamente desapareceu", lembrou Randy mais tarde. "Na verdade, os problemas que tivemos foram com pessoas doentes de verdade tentando trabalhar quando não deviam fazê-lo. Elas acordavam com febre e o marido ou a mulher lhes dizia: 'Você vai ficar em casa hoje.' Mas o funcionário respondia: 'Tá brincando? Tenho dois ases e duas damas, e você quer que eu fique em casa?'"

Depois de passar quatro anos vendendo um programa fechado de desenvolvimento gerencial, Charles Coonradt fez a visita de vendas mais importante de sua carreira.

Ele se reuniu com o gerente da unidade de produção de uma companhia de casas pré-fabricadas e, durante um bom tempo, ouviu seu cliente desfiar a velha ladainha sobre os jovens de hoje: "Eles não dão a mínima, não trabalham, não têm os mesmos valores que eu e você tínhamos quando éramos garotos..."

Enquanto os dois conversavam no escritório da administração, 10 metros acima do solo, observavam a fábrica lá embaixo. Então o gerente apontou para oito rapazes ao lado de uma casa e disse: "O que você e seu programa vão fazer a respeito disso?"

Charles observou o ritmo de trabalho dos rapazes, que podia ser comparado ao de "lesmas lerdas". Os caras pareciam estar em marcha a ré! O gerente tinha lhe trazido um problema para o qual ele não tinha resposta.

Então ocorreu algo surpreendente: assim que a campainha do almoço tocou, os oito trabalhadores abandonaram seus martelos como se estes fossem eletrificados e saíram em disparada, quatro deles tirando a camisa enquanto se moviam. Correram uns 50 metros pelo pátio da fábrica até uma quadra de basquete.

A mudança de motivação foi surpreendente! Hipnotizado, Charles observou o jogo por exatamente 40 minutos. Todos sabiam o próprio papel na quadra e o desempenhavam, apoiando o time com energia e entusiasmo – tudo isso sem qualquer administração. Eles sabiam como contribuir para as equipes em que estavam e gostavam disso.

Às 12h40 o jogo acabou. Os rapazes pegaram suas marmitas, comeram e começaram a voltar para os postos de trabalho, onde às 13 horas estavam batendo o relógio de ponto – "lesmas lerdas" de volta ao trabalho.

Charles virou-se para o gerente da fábrica e disse: "Acho que não há nada de errado com a motivação desses garotos."

E, a partir daquele dia, Charles começou a pesquisar se seria possível transferir a energia, o entusiasmo e o empenho que vira na quadra de basquete para o local de trabalho. Seu sucesso em fazer tal coisa tornou-se lendário no mundo empresarial.

"Identificamos a *motivação da recreação* e a levamos para o ambiente profissional", diz Charles. "O jogo do trabalho inclui feedback, acompanhamento de resultados, estabelecimento de metas, treinamento consistente e escolha pessoal."

22. Determine o seu propósito

Não há nada tão inútil como fazer eficientemente o que não se devia fazer de modo algum.

Peter Drucker

É difícil motivar as pessoas quando não se tem tempo para falar com elas. Poucas visões são tão desanimadoras quanto um líder que parece uma galinha com a cabeça decepada correndo de um lado para o outro – e sem tempo para encontrá-la.

Gerentes cujas equipes não correspondem às expectativas estão fazendo coisas ineficazes o dia inteiro. Em vez de parar e decidir a coisa certa a fazer, eles executam tarefas erradas cada vez mais rapidamente, estressando-se com a "carga de trabalho". (Não há "carga de trabalho" com que se preocupar quando você está fazendo a coisa certa.)

Veja o que disse David Allen, especialista em gerenciamento de tempo, sobre os ocupados líderes de hoje: "Você provavelmente tem mais a fazer do que é capaz de realizar. Mas só precisa se sentir bem com suas escolhas."

Executar mil e uma tarefas ao mesmo tempo é o maior mito nas empresas atuais. Da mesma forma que o cérebro não se ocupa de várias coisas ao mesmo tempo, as pessoas também não realizam múltiplas tarefas no mesmo período de tempo. Os pensamentos são processados um de cada vez.

Com freqüência, os gerentes *pensam* que estão executando tarefas múltiplas, mas estão apenas fazendo uma coisa de qualquer jeito e passando rapidamente para outra, que também será executada de maneira insatisfatória. Em breve estarão preocupados com todas as tarefas que começaram e deixaram incompletas.

E como observou o especialista em eficiência empresarial Kerry Gleeson: "A preocupação constante, improdutiva, com todas as coisas que temos de fazer é, sem dúvida, a maior consumidora de tempo e energia." O que sobrecarrega não são as coisas que fazemos, mas as que deixamos por fazer.

Os que encontram alegria na liderança descobrem como relaxar num dia extremamente cheio de tarefas a cumprir, orientados para um objetivo e focalizados na atividade de maior prioridade. Eles podem pensar com clareza em qualquer momento. É claro que se distraem, que são interrompidos e que enfrentam problemas. Mas sabem para que atividade devem retornar, pois conhecem seu propósito, escolhido por eles mesmos.

Esse é o tipo de líder admirado e seguido pela equipe.

23. Atente para o potencial

Grandes líderes mudam de estilo para levantar a autoestima de suas equipes. Quando as pessoas acreditam em si mesmas, é impressionante o que conseguem realizar.

Sam Walton, fundador da Wal-Mart e do Sam's Club

Uma das melhores maneiras de motivar os outros é se inspirar naqueles que motivaram *você*. Aprenda com os grandes líderes que teve. Entre em sintonia com eles, torne-se um clone e incorpore-os 24 horas por dia.

Scott Richardson lembra de um professor que mudou o seu modo de enxergar as pessoas: "O motivador mais eficaz que já tive foi um prodígio da música, meu professor de violino."

Rodney Mercado era professor-adjunto de música na Universidade do Arizona, e Scott o conheceu quando tinha 16 anos e estava prestes a abandonar o violino. Como sua mãe desejava desesperadamente que ele se tornasse violinista, ela lhe disse: "Espere um pouco. Você terá o melhor professor de violino que existe."

Scott estava cético. No entanto, certo dia, sua mãe finalmente declarou: "Encontrei quem estava procurando. É o professor de seu professor."

Logo no primeiro encontro, Scott teve de tocar para o professor. Ele jamais fizera uma apresentação daquelas. Geralmente bastava o aluno pagar para ser aceito. Mas Mercado escolhia seus alunos cuidadosamente, do mesmo modo que um grande líder escolhe sua equipe.

"Fiz, sem dúvida, a pior apresentação da minha vida! Pensei: 'Bem, isso encerra o assunto. Não preciso me preocupar em tê-lo como meu professor.' Pouco depois, ele me telefonou declarando que ia me aceitar. Deve ter havido um engano, pensei. Não podia ser verdade. Isto é, eu tocara tão absurdamente mal que não podia imaginar nenhum professor me aceitando com base naquela atuação. Ele, porém, tinha a capacidade de ver o potencial das pessoas. Se qualquer outro tivesse me ouvido tocar, teria imaginado não haver esperanças. Mas Mercado foi além do que vira e ouvira. Percebeu a possibilidade por trás da execução. Nisso era um treinador e um líder maravilhoso, porque um dos aspectos essenciais para motivar os outros é a capacidade de ver o potencial, em vez de enxergar apenas o que está acontecendo no momento."

Scott conta que, a partir dali, aprendeu a não desistir das pessoas tão rapidamente. "Aprendi a olhar e escutar profundamente. Em breve, passei a perceber nos outros habilidades e forças que jamais vira. Aprendi que as pessoas se comportam de acordo com quem pensam que são para nós naquele momento. Em outras palavras, agem como nós as vemos. Uma vez que criamos novas possibilidades para aqueles ao nosso redor, e a comunicamos a eles, sua performance decola instantaneamente.

Não há melhor modo de motivar um ser humano do que acreditar no seu potencial.

24. Faça a equipe se responsabilizar por suas tarefas

Comandar é nada mais nada menos que servir.

André Malraux, filósofo francês

Para motivar os outros, os líderes precisam aprender primeiro a apreciar a arte de fazer as pessoas assumirem suas responsabilidades.

A maioria dos gerentes acha impossível *gostar* disso. Eles consideram que esse é o aspecto mais difícil da chefia – um mal necessário. Por isso não se saem muito bem nessa tarefa.

Felizmente há um modo agradável de fazer sua equipe se responsabilizar por seu trabalho.

Quando precisar falar com um funcionário sobre determinado comportamento ou nível de desempenho que não está funcionando para você, experimente o seguinte:

Primeiro, elogie o funcionário e demonstre reconhecimento pelo seu trabalho, por ele ser quem é, pelo que agrega à organização, citando habilidades e pontos fortes específicos. A seguir, dê um exemplo recente bastante específico de algo que ele fez que o tenha impressionado e beneficiado.

A seguir, reforce seu próprio compromisso com essa pessoa. "Acredito em você. Eu o contratei pelo que vi em você. Hoje vejo até mais do que quando começou. Estou empenhado em fazer com que tenha êxito em sua carreira e em oferecer condições para que se sinta satisfeito e realizado." Então diga ao colaborador o que ele pode esperar de você. Discorra sobre o que você faz, como luta por um pagamento justo, como está disponível em todos os momentos, como trabalha para conseguir para ele as ferramentas necessárias ao próprio sucesso, e assim por diante.

Esse reforço do compromisso coloca a conversa no contexto apropriado. Noventa por cento das "reprimendas" administrativas são destrutivas para a relação gerente-colaborador porque são vistas como descontextualizadas. É importante que o quadro geral seja estabelecido primeiro.

Por último, acompanhe o acordo existente (se houver um) com seu colaborador sobre a matéria em questão. Se não houver acordo, você deve criar um imediatamente. De autoria mútua, com mútuo respeito.

Acordos são criações conjuntas. Não são mandatos ou regras. Quando um acordo não está sendo cumprido, os dois lados precisam pôr as cartas na mesa, seja para reconstruir o acordo ou para criar um novo. As pessoas quebram as regras estabelecidas pelos outros, mas mantêm seus próprios acordos.

25. Alimente seu ego saudável

Aprender a ser um líder é o mesmo processo de aprender a ser uma pessoa saudável e íntegra.

Warren Bennis

Uma boa auto-estima é nosso direito inato. É a nossa essência. Não precisamos passar por uma bateria de testes humilhantes para atingi-la. Só precisamos deixar de lado os pensamentos que a contaminam. Precisamos sair de seu caminho e deixá-la brilhar, em nós mesmos e nos outros.

Uma liderança poderosa, criativa e vigorosa consegue extrair dos outros a melhor e mais elevada expressão de auto-estima.

Mas isso começa em casa. Se sou um líder, isso se inicia com a minha própria autoconfiança. É mais fácil seguir pessoas autoconfiantes. Nós nos envolvemos mais rapidamente em um projeto quando quem nos coordena é autoconfiante.

A maioria dos gestores de hoje não investe na própria auto-estima, mantendo o foco em seu poder de realização. Eles passam tempo demais se preocupando com a impressão que causam, o que resulta em insegurança e baixa auto-estima.

No livro *Auto-estima no trabalho*, Nathaniel Branden coloca a questão da seguinte maneira:

> "Uma pessoa que não se sente merecedora de realização e sucesso provavelmente não irá inspirar altas aspirações nos outros. Assim como os líderes não podem extrair o melhor de seus funcionários se sua necessidade primária, provocada por suas inseguranças, for provar que estão certos e os outros errados, caso em que sua relação com as pessoas não é de inspiração, mas de enfrentamento. *É uma falácia dizer que um grande líder não deve ter ego.* Um líder precisa de um ego suficientemente saudável para não se sentir em um julgamento a cada reunião – ansioso ou na defensiva –, de modo a se sentir livre para se concentrar em tarefas e resultados, e não orientado para o auto-engrandecimento ou a autoproteção. Um ego saudável quer saber: 'O que tem de ser feito?' Um ego inseguro pergunta: 'Como evito deixar uma impressão ruim?'"

Construa sua força interior fazendo o que é preciso ser feito e a seguir passando à tarefa seguinte. Quanto menos você se concentrar em como está se saindo, melhor.

26. Contrate os motivados

O melhor executivo é aquele que tem sensibilidade para escolher as pessoas certas para executar o que ele deseja e autodomínio para evitar atrapalhá-las enquanto elas fazem o trabalho.

Theodore Roosevelt

Parece simples demais, mas a melhor maneira de manter sua equipe motivada é contratar pessoas com automotivação.

Vamos começar com a entrevista de emprego.

Faça perguntas originais e destinadas a revelar a pessoa verdadeira por trás da que desempenha o papel de candidato ao emprego. Pergunte o inesperado. Mantenha o entrevistado agradavelmente instável. Evite perguntas previsíveis para as quais o entrevistado lhe dará respostas prontas. As pessoas motivadas irão adorar isso, e os submotivados se sentirão cada vez mais desconfortáveis.

Saiba que cada entrevistado está desempenhando o papel do personagem que acredita que conseguirá o emprego. Todos agimos assim, mas o trabalho do entrevistador é não deixar que isso aconteça.

Um método para descobrir quem realmente está à sua frente é chamado de *questionário em camadas*, de forma que uma pergunta acrescente informações à pergunta anterior. Por exemplo:

– Por que saiu da Companhia X?

– Eu não tinha muitos desafios.

– Interessante. Conte mais sobre a Companhia X. Como se sentia trabalhando lá?

– Era bastante difícil. Não me sentia à vontade.

– Por que acha que isso o afetou tanto?

– Meu gerente era muito centralizador.

– Pode falar um pouco mais sobre isso?

Basicamente, as "camadas" são uma solicitação para que o entrevistado vá cada vez mais fundo e não pare ali, mas continue e continue. Depois de algum tempo, o questionário em camadas faz você chegar à pessoa verdadeira.

– Vejo no seu currículo que se especializou em engenharia.

– Isso mesmo.

– Se pudesse fazer uma mudança no curso de engenharia, o que mudaria?

Ou:

– Se o convidassem a assumir a direção da empresa da qual você acabou de sair, qual é a primeira coisa que faria?

Pense nas perguntas de que gosta e que o deixam intrigado, e mantenha seu entrevistado na expectativa durante toda a entrevista. Desse modo, conseguirá que a verdadeira pessoa fale com você e terá uma intuição muito melhor sobre o candidato ou sobre como seria trabalhar com ele.

Mais uma vez, o melhor modo para criar uma equipe altamente motivada é contratar pessoas que já são motivadas.

27. Pare de falar

Uma medida da liderança é o calibre das pessoas que escolhem seguir o líder.

Dennis A. Peer, consultor

A maioria dos que entrevistam candidatos a emprego fala demais e chega muito cedo à pergunta: "Bem, há algo que você queira saber sobre nós?"

Pare de fazer isso. Tal atitude é o seu ego se expressando, e não uma boa técnica de entrevista. Quem não faz o dever de casa e não é um entrevistador competente sempre acabará entrevistando a si mesmo e falando sobre sua empresa.

Pessoas assim sentem-se pouco à vontade em fazer perguntas, por isso começam a falar sobre a história da empresa, sua própria trajetória profissional e sobre convicções e opiniões pessoais. Com isso, perdem tempo. Em cinco meses, estarão torcendo as mãos e arrancando os cabelos porque de algum modo permitiram que um funcionário-problema não fosse detectado pelo seu radar.

Lembre-se: nada de ficar falando. Seu trabalho é intuir o nível de motivação da pessoa à sua frente. Você só conseguirá isso fazendo com que ela responda a uma pergunta atrás da outra.

É preciso mais coragem, imaginação e preparo para fazer um incansável número de perguntas do que para conversar. Mas grandes líderes são grandes recrutadores. Como líder, você só será bom se sua equipe for boa. Contrate apenas os melhores.

Freqüentemente chamado de Obi-Wan Kenobi dos consultores de empresa, Dale Dauten disse: "Quando fiz a pesquisa para meu livro sobre chefes talentosos, descobri que os grandes líderes passam pouco tempo tentando moldar funcionários para a grandeza. Em vez disso, dedicam esforços extraordinários para localizar e tentar contratar pessoas excepcionalmente capazes. No fim das contas, o melhor gerenciamento é o que encontra funcionários que não precisam ser gerenciados."

28. Recuse-se a aceitar a limitação alheia

Líderes não criam seguidores. Criam outros líderes.

Tom Peters

Sua equipe se limita o tempo todo. Levanta falsas barreiras e engalfinha-se com problemas imaginários.

Uma das habilidades do líder é mostrar ao seu pessoal que eles podem realizar mais do que acham que podem. Na verdade, eles podem algum dia ser líderes como você. E um dos motivos pelos quais passam a admirá-lo é o fato de você sempre enxergar seu potencial, seu melhor lado, e dizer isso a eles.

É possível que você seja a primeira pessoa na vida daquele funcionário a acreditar nele. E, por essa razão, ele se torna mais capaz do que pensava ser e adora você por isso, embora a crença que você deposita nele às vezes o deixe pouco à vontade. Esse desconforto pode vir à tona toda vez que você lhe pedir que vá além dos próprios limites. Mas você não se importa, e o pressiona com sua crença nele, fazendo-o superar os limites e crescer.

Um dos maiores gurus de liderança do empresariado americano foi Robert Greenleaf, que desenvolveu o conceito de "liderança servidora": um líder é alguém que serve seus seguidores a cada passo do caminho, trazendo à tona o que eles têm de melhor e *recusando-se* a acreditar em suas limitações como realizadores.

Seus funcionários podem ter falhas como pessoas, mas não como realizadores.

Greenleaf costumava dizer: "Qualquer um poderia liderar pessoas perfeitas se houvesse alguém assim. Mas isso não existe. E os pais que tentam criar filhos perfeitos estão certamente criando neuróticos. Faz parte do enigma da natureza humana que a pessoa 'típica' – imatura, desajeitada, inepta, preguiçosa – seja capaz de grande dedicação e heroísmo se sabiamente conduzida. O segredo da formação de equipe é ser capaz de juntar pessoas assim e fazê-las crescer mais do que normalmente cresceriam."

29. Às vezes bonzinho, às vezes durão

Se suas ações inspiram os outros a sonhar mais, aprender mais, fazer mais e se tornar algo mais, você é um líder.

John Quincy Adams

Se você é um motivador eficaz, sabe muito bem como ser bonzinho ou durão, dependendo do que a situação exigir. Um verdadeiro motivador desempenha os dois papéis.

Bonzinho: cuida do seu pessoal, orienta, treina, serve e dá apoio sempre. Mantém a palavra todas as vezes. Remove os obstáculos ao sucesso. Elogia e agradece o tempo todo. Lidera por meio do reforço positivo ao comportamento desejado porque sabe que receberá o fruto daquilo que recompensar.

Durão: mau até dizer chega. Não faz nenhuma concessão quanto às promessas que lhe fizeram, mesmo aquelas sobre desempenho. Não dá espaço para queixas e desculpas como substitutas para conversas a respeito de promessas não cumpridas. Não respeita quem se lamuria ou não atinge as metas devidas. Não tolera a preguiça. Nitidez, convicção, determinação. Todas as cartas na mesa. Nenhuma mensagem cifrada. No seu rosto está estampado: "Acredito em você. Sei o que pode fazer. O único motivo de você existir aqui, em minha vida, é fazer este trabalho."

Obviamente você não precisa bancar o durão com muita freqüência. Só depois que todas as abordagens feitas pelo bonzinho tiverem fracassado. Ouvir o durão pode ser um grande toque de despertar para alguém jamais desafiado na vida aproveitar o melhor de seu potencial. E quando a sessão com o durão estiver terminada e o funcionário voltar ao jogo, empenhando-se ao máximo, traga imediatamente de volta o bonzinho para completar o processo.

30. Não enlouqueça

Quanto mais velho fico, mais sábia considero a antiga regra de fazer primeiro as coisas mais importantes. Um processo que geralmente reduz o mais complexo problema humano a uma proporção controlável.

Dwight D. Eisenhower

Quando o gerente pensa em sete coisas em vez de uma, tentando mantê-las na cabeça e ao mesmo tempo escutar seu funcionário, não consegue, porque acaba de pensar em outras três coisas que precisa resolver quando ele for embora, o que espera que seja logo.

Portanto, olha o relógio algumas vezes enquanto fala com o colaborador, pois mentalmente está correndo e é um sujeito enérgico, fazendo um milhão de coisas, mas não vê que sua frágil relação com essa pessoa está sendo destruída por essa abordagem, pois a principal mensagem que envia ao funcionário e a todos da equipe é que está realmente estressado, *e isso aqui está uma loucura.*

Chega mesmo a dizer à família: "Isso aqui está uma loucura. Quero passar mais tempo com vocês, mas nesse momento o trabalho aqui está uma loucura."

Bem, não está uma loucura. *Ele é que enlouqueceu.* Precisa ser honesto sobre o assunto. *Isso* não é uma loucura. É apenas trabalho. Negócios.

Os gerentes do tipo "Isso aqui está uma loucura" são sempre pegos de surpresa: "O quê? Ele está nos deixando? Por quê? Está indo embora? Ah, não, não se pode confiar em ninguém nos dias de hoje. Chame-o aqui, precisamos consertar isso. Cancele minhas reuniões, cancele meus telefonemas, quero descobrir por que ele está indo embora."

Bem, o funcionário está indo embora pelo seguinte: o gerente só conversou com ele por no máximo três minutos em todas as vezes que se reuniram. Pode ter falado com ele 365 vezes, mas apenas durante três minutos. Essa não é uma relação profissional.

E quer o gerente goste ou não, as carreiras são construídas – assim como as grandes equipes e os grandes negócios – criando-se grandes relações.

Geralmente, as pessoas que admiram ou, de certo modo temeroso, "respeitam" seus chefes que executam mil tarefas ao mesmo tempo admitem que se sentem menos seguras por conta de toda aquela "loucura".

Quando se reúnem com o gerente, ele lhes diz: "O.k., entrem, sei que precisam falar comigo. Esperem um instante, tenho de atender esse telefonema. É uma loucura. Tenho uma reunião dentro de dois minutos e estou esperando um e-mail, portanto vão me desculpar se eu o ler assim que chegar, mas entrem aqui um segundo. Sei que tinham algo em mente. Falem, por favor... ah, me desculpem."

Quando conseguimos fazer um gerente diminuir seu ritmo e concentrar-se em cada conversa como um modo de abordar o dia, ele fica realmente espantado. Se faz isso durante uma semana, liga para nós e diz: "É inacreditável. Pude compreender mais o meu pessoal esta semana do que em todas as semanas anteriores nessa função."

É inacreditável para eles. Freqüentemente, quando o gerente desacelera e olha para a próxima tarefa urgente à sua frente, percebe que *outra pessoa adoraria fazer aquilo*. E não é só isso: ela ficaria *lisonjeada* com essa demonstração de confiança no seu trabalho.

Há muitas coisas que podem ser delegadas e passadas aos outros, mas você só saberá disso se reconquistar sua sanidade e for mais devagar. Uma das melhores maneiras de motivar as pessoas é lhes dar tarefas mais interessantes – especialmente as que fazem com que o gerente ganhe um tempo valioso que possa investir na construção de uma equipe motivada.

31. Pare de paparicar

Nunca tornei as coisas infernais para eles. Apenas lhes digo a verdade e eles acham que é um inferno.

Harry Truman

Inconscientemente, os chefes desprovidos de hábitos de liderança buscarão, acima de tudo, a estima dos outros. Em vez de fazer as pessoas assumirem suas responsabilidades, eles as deixam soltas. Transmitem aos funcionários não-produtivos a sensação de que está tudo bem. Buscam mais aprovação do que respeito.

Esse comportamento tem uma conseqüência grave. Leva à falta de confiança no local de trabalho, a queixa mais comum nas pesquisas com funcionários.

Um verdadeiro líder não se concentra primeiro em ser estimado, e sim nas práticas e comunicações que o levam a ser *respeitado*. É um objetivo diferente e que leva a resultados completamente diferentes. (Não sou motivado por você porque gosto de você; sou motivado por você porque o respeito.)

A principal pergunta que o líder deve se fazer é: "Se eu fosse chefiado por mim mesmo, o que gostaria de obter do meu líder neste momento?" A resposta varia, mas freqüentemente é:

1. A verdade, no instante em que ele souber da verdade.
2. A comunicação total e completa sobre o que está acontecendo comigo e conosco.
3. O cumprimento de todas as promessas, principalmente as pequenas ("Volto a falar com você sobre isso amanhã"), de modo consistente e até fanático. Não algumas promessas, não uma alta percentagem delas, não um grande esforço, mas todas as promessas. Quando uma promessa não pode ser cumprida, é preciso fornecer uma desculpa imediata, uma atualização e uma nova promessa.

Um verdadeiro líder não tenta se tornar o amigão de todos, embora valorize o otimismo e a animação na comunicação. Não se preocupa em ser sempre estimado e dispõe-se a conversar sobre questões desconfortáveis para manter seu modo de agir direto e sem rodeios. Um verdadeiro líder vê esse aspecto da liderança em termos sérios e adultos e não tenta minimizar sua responsabilidade. Também não tenta cultivar amizades íntimas inapropriadas com pessoas da equipe que ele é pago para liderar. Um verdadeiro líder usufrui todos os elementos da prestação de contas e da responsabilidade, transformando a mensuração e o gerenciamento de desempenho em uma aventura empresarial totalmente honesta.

32. Faça primeiro o pior

A melhor saída é sempre através.

Robert Frost, poeta americano

O tópico de mais interesse para os líderes hoje em dia é como motivar os outros quando o próprio gerente sente dificuldades em administrar seu tempo. Esse era o problema de Carlos, que chefiava uma equipe de corretores.

– É tanta coisa que cai de pára-quedas para eu resolver, tantos telefonemas que recebo, tantas obrigações a cumprir, tantas tarefas que preciso fazer num determinado período, que gostaria realmente de ter 10 horas a mais no meu dia – disse ele.

– Isso acontece com todo mundo, Carlos – rimos. – Pare de pensar que você é o único. Reprograme-se e concentre-se. Faça a sua mente voltar ao princípio. Comece de novo.

Todos os que trabalham nesse mercado global têm mais coisas para fazer do que tempo para isso. Isso não é verdadeiramente um problema. É um estimulante fato da vida.

– Mas é muito, muito tentador ceder à sensação de estar sobrecarregado – disse Carlos. – É tentador entrar naquele estado mental de vítima.

– É verdade. Portanto trate de se reorganizar e se distanciar do problema. Revigore-se. Anime-se!

– Mas *estou* atolado mesmo – Carlos insistiu. – Não há nada que eu possa fazer. Como gerenciar uma equipe quando há tudo isso acontecendo? E justamente quando estou tomando as rédeas da situação o telefone toca, chega um e-mail, recebo outro pedido, outro programa tem de ser implementado, outro formulário preenchido. Então fico prestes a arrancar os cabelos e dizer: "Como é que eu faço isso?"

– Carlos, ouça. Controle-se. O sistema mais simples que puder utilizar para administrar o tempo servirá a você como líder. Faça tudo com simplicidade.

– Por que simplicidade? – perguntou Carlos. – Acho que preciso de uma solução mais complexa para um conjunto de desafios complexo.

– Porque, por mais que você faça, não pode negar a seguinte verdade sobre liderança: você vai ser muito perseguido, assediado e interrompido. E pode escolher duas reações para lidar com esse fato da liderança.

Carlos ouvia atentamente.

– Pode tornar-se uma vítima e dizer: "Não consigo lidar com isso, há coisas demais para fazer." Esse caminho não requer imaginação nem coragem. É a saída mais fácil: simplesmente queixar-se da vida. Talvez até se queixar para outras pessoas, outros líderes, membros da família. Eles simplesmente dirão: "Você precisa largar esse negócio."

Carlos assentiu com a cabeça.

– Isso acontece – disse ele. – Mas ter amigos e família me estimulando a largar o trabalho não me ajuda a gostar dele. Só torna a coisa ainda mais difícil.

– Exato! Mas há outro caminho, que é criar um sistema de gerenciamento de tempo o mais simples possível. É o que recomendamos, e é com ele que a maioria dos líderes tem se saído melhor. É tão simples que se pode reduzi-lo a três palavras: *primeiro o pior!*

Trabalhamos com Carlos por muito tempo para fazê-lo ver que o melhor modo de administrar seu tempo é não pensar nisso como gerenciamento de tempo, e sim de *prioridades*, pois na verdade não se pode "administrar o tempo". É impossível acrescentar mais horas ao dia.

Mas você pode administrar as prioridades e escolher as tarefas que precisa realizar.

– Primeiro o pior – disse Carlos. – O que isso significa?

– Escreva num papel todas as coisas que gostaria de fazer no dia seguinte. A lista não precisa ser perfeita. Pode utilizar símbolos, pequenos quadros e desenhos num pedaço de papel qualquer. Depois *escolha*, entre essas tarefas, a mais desafiadora e importante.

– Como posso saber com certeza qual é? E como isso irá melhorar a motivação de meu pessoal a longo prazo? Não é essa a sua especialidade?

– É, mas até resolver o seu problema de tempo, não será capaz de motivar ninguém. Você precisa de um local sólido de onde partir. Um local organizado dentro de você.

– O.k., mas como escolho a ordem em que devo me concentrar?

– Qual é a tarefa que você mais gostaria de protelar? Qual é a coisa mais importante a fazer, a que realmente precisa ser feita? Não a mais urgente, mas a mais importante?

– Acho que estou entendendo – disse Carlos. – A tarefa que considero mais penosa e em que nem gosto de pensar. É isso que devo fazer primeiro.

– Exatamente.

A maioria das pessoas é como Carlos e apenas reage ao que é mais urgente. Elas passam o dia inteiro se perguntando: "O que realmente tem de receber atenção agora?" E muitas vezes as tarefas urgentes que aparecem como resposta a essa pergunta são detalhes insignificantes, pequenos aborrecimentos sem importância.

– Mas as pequenas coisas não têm de ser feitas? – perguntou Carlos.

– Claro, mas se colocá-las em primeiro lugar estará deixando coisas importantes para trás. Muitas vezes é mais eficaz desligar o telefone, afastar-se dos e-mails, escolher uma tarefa importante e executá-la, deixando o urgente esperar.

– É verdade, as pendências me atormentam, não consigo parar de pensar nelas, o que atrapalha a execução das outras tarefas.

– Agora você está no rumo certo. Só vai conseguiu se concentrar e trabalhar de modo relaxado e animado quando tirar esse problema da sua mente. Em geral, quando vamos para casa à noite, o que mais nos cansa e deprime, causando a sensação de que não tivemos um bom dia, é aquilo que não fizemos mas gostaríamos de ter feito.

– Puxa, é assim mesmo.

– Para resolver esse problema, use o critério de fazer primeiro o pior: escolha a tarefa mais difícil, que você adoraria terminar e deixar para trás. Faça dela sua *prioridade máxima*. Nada será iniciado até que aquilo esteja concluído.

Algumas semanas se passaram e Carlos se esforçou para colocar o sistema em prática, até que, finalmente, a situação começou a melhorar. Depois que transformou o sistema "primeiro o pior" num hábito, ele sentiu uma liberdade que jamais experimentara antes. Aqueles à sua volta ficaram estimulados ao vê-lo bem mais centrado e disponível para ouvir os outros. Carlos lidava primeiro com o mais importante para ele, e a partir dali vivia como se o resto do dia fosse moleza. Sua energia pairava nas alturas. Em pouco tempo já estava ensinando o sistema aos outros.

Alguns meses depois voltamos a nos encontrar e ficamos felizes com sua transformação.

– Fui realmente libertado por esse sistema de gerenciamento de tempo – disse Carlos. – Se alguém me pergunta "Tem um tempinho para conversar comigo sobre essa questão?" e se eu já tiver feito minha "pior coisa", poderei dizer: "Claro. De quanto tempo você precisa? Vamos conversar."

33. Aprenda a experimentar

Não seja tímido e melindroso em suas ações. Tudo na vida é uma experiência. Quanto mais você experimentar, melhor.

Ralph Waldo Emerson

Uma das queixas mais comuns dos executivos de hoje é a seguinte: as pessoas que eles supervisionam detestam mudanças, embora sejam constantemente solicitadas a efetuá-las nesse ambiente empresarial altamente competitivo. Os executivos então se desesperam tentando fazer com que as mudanças necessárias sejam realizadas.

Concordamos que pode ser difícil estimular as pessoas a mudar. Mas tente o seguinte: as pessoas preferem não mudar, mas adoram experimentar.

Como observou o jornalista e consultor empresarial Dale Dauten: "Um experimento nunca falha. Quando se experimenta algo e isso se mostra uma péssima idéia, nunca se volta realmente ao ponto de partida. Aprende-se algo. Na pior das hipóteses, nos faz apreciar o que estávamos fazendo antes. Por isso nunca falha."

Portanto, nas empresas onde damos treinamento, jamais há qualquer mudança. Mas há compromisso de constante experimentação para descobrir o que funciona melhor para os funcionários, a empresa e o cliente. Os executivos simplesmente dizem a suas equipes: "Isso é um experimento para ver se tal coisa funciona melhor para vocês e para nossos clientes. Se funcionar, ótimo, vamos continuar a fazê-lo. Se não, nós o modificaremos ou o deixaremos de lado."

E, se você monitorar o experimento e receber o feedback, descobrirá que a antiga resistência à mudança se dissipou porque seus funcionários realmente gostam de experimentar.

34. Comunique-se conscientemente

Afogado em dados, mas à míngua de informações.

Ruth Stanat, consultora empresarial

Comunique-se conscientemente. Tenha noção de como você está sendo ouvido.

Warren Bennis, autoridade em liderança, diz: "Os bons líderes fazem as pessoas sentirem que estão no centro das coisas, não na periferia. Elas acreditam que fazem diferença para o sucesso da organização. Quando isso acontece, ficam mais centradas e seu trabalho ganha significado."

Vivemos na era da informação. Os funcionários usam suas mentes criativa e produtivamente o dia todo. Não estão em uma vala tirando terra com a pá. Todos eles se comunicam para ganhar a vida.

Agora, mais do que nunca, a comunicação está no nosso sangue. É o componente vital de toda empresa. E, mesmo assim, muitas organizações deixam sua comunicação ao léu, ao "senso comum" ou às velhas tradições que já não funcionam para manter todos informados e incluídos.

Uma boa comunicação origina confiança e respeito. Coloque todas as cartas na mesa sempre que possível. Quando assumimos total responsabilidade pela maneira como nos comunicamos, a organização inteira sai ganhando.

35. Pontue o desempenho

O desempenho é a sua realidade. Esqueça todo o resto.

Harold Geneen, presidente da ITT

Você consegue se imaginar num jogo cuja forma de pontuação não conhece? Competindo diante de juízes, sem saber dos seus critérios! E os juízes ficam muito tempo sem declarar como você se saiu. Isso seria um pesadelo.

Participamos de uma reunião dirigida por Megan, que passava por um período difícil, tentando motivar sua equipe para atingir os objetivos esperados pela empresa.

– Como estamos nos saindo este mês? – Clarence perguntou à chefe.

– Ah, não sei, Clarence – respondeu Megan. – Ainda não olhei o relatório de vendas. Tenho a sensação de que estamos indo muito bem, mas ainda não tenho os números.

Podia-se ver a expressão no rosto de Clarence, uma mistura de decepção e aflição.

Posteriormente, nos reunimos apenas com Megan e lhe explicamos por que ela precisava mudar sua abordagem imediatamente se desejava motivar seus funcionários. Ela precisava saber os resultados do trabalho da sua equipe.

– É que eu não gosto de números – disse Megan. – Jamais gostei.

– Gostando ou não, se você está numa posição de liderança, é imperativo ser *a* pessoa dos números para a sua equipe. Você não conseguirá motivar as pessoas, Megan, se não fizer o dever de casa, colocar os números na sua frente e *falar sobre os resultados* quando estiver com seu pessoal. Se você for a treinadora deles – e você é –, então terá de falar sobre o jogo e também sobre o placar.

– Bem, joguei um pouco de basquete na escola – disse Megan.

– Talvez possa fazer uma ligação entre as duas coisas.

– Imagine seu treinador de basquete durante um jogo. Seu time está reunido na lateral, a partida quase terminando, e ele diz: "Não olho para o placar faz um tempo, então não sei quantos pontos vocês estão atrás... ou na frente... estamos na frente? De qualquer forma, quero mostrar algumas jogadas que acho que devemos trabalhar depois que voltarmos à quadra."

Megan sorriu e disse:

– Nunca confiaria num treinador desses.

– Por que não, Megan?

Ela não disse nada.

– Você não é como esse treinador, Megan?

– Acho que entendi o que quer dizer. Meus melhores treinadores foram pessoas que comemoravam os bons resultados.

– Exato! O mesmo serve para os grandes líderes. Eles chamam os membros da equipe e dizem: "Acabei de receber seus números da semana passada. Puxa, é o melhor que vocês já fizeram em todo o ano!" São esses os líderes que as pessoas adoram seguir, porque eles sempre sabem se estão ganhando ou perdendo. Ficam sempre atentos ao placar.

Também aproveitamos para dizer a Megan que ela estava usando uma abordagem errada com sua equipe ao elogiá-la por seu esforço como fizera na reunião: "Sei que vocês estão tentando com afinco, dando seu sangue. Passei por aqui de carro ontem, tarde da noite, e vi as luzes acesas. Realmente admiro o que vocês estão fazendo."

– O que há de errado em ter dito isso? – perguntou Megan.

– O problema é que o respeito pela realização está sendo substituído pelo respeito pela tentativa.

Queríamos que Megan enxergasse que era fácil corrigir o equívoco que estava cometendo. O primeiro passo era conhecer o placar do jogo. Ela precisava examinar os números antes de enviar um e-mail ou dar um telefonema, pois, ao não fazer isso, dava a impressão de que seus funcionários estavam ali por outras razões, e não para conquistar e realizar objetivos precisos.

O líder deve ser aquele que explica à equipe com extrema precisão qual é o placar, quanto tempo ainda resta e qual será a estratégia baseada naqueles números. Assim, fica muito mais fácil saber quando está jogando bem, quando está vencendo e quando teve um bom ou um mau dia.

Isso cria uma sensação maravilhosa de que o líder não tem intenções ocultas. Portanto, ao se comunicar com seu pessoal, procure maneiras de melhorar e aumentar essa mensuração e, especialmente, de aumentar a consciência dessa mensuração.

Mas isso tem de partir de você. Não se pode esperar que a política da empresa se modifique. É isso o que a maioria das pessoas faz: espera que seus chefes criem um novo sistema, novas maneiras de medir o desempenho ou algo do tipo. Não faça isso. Não espere. Tome a iniciativa.

Sua *inovação pessoal* será descobrir outros modos de medir o desempenho da equipe. Assim, as pessoas saberão quanto isso significa para você. Há algo que gostaria de melhorar? Descubra modos de medir o desempenho nessa área e fique atento aos resultados. O gosto pelo jogo, inerente a todo ser humano, é algo que você pode utilizar. Quanto mais medir as coisas, mais motivado seu pessoal estará para executar o que foi medido.

36. Faça o fundamental primeiro

Mostre-me um homem que não pode se dar ao trabalho de fazer pequenas tarefas e eu lhe mostrarei um homem em quem não se pode confiar para fazer grandes tarefas.

Lawrence D. Bell, fundador da Bell Aircraft

O método motivador de Rodney Mercado não é o mais eficaz apenas para ensinar música, mas para qualquer outra coisa.

Mercado era um gênio em 10 áreas diferentes, incluindo matemática, economia, sociologia, antropologia e história da música.

Scott relembra que ficou surpreso certa vez ao receber uma aula de economia durante sua aula de música. Mercado virou-se para ele e disse: "Sabe, Scott, a matemática é muito simples. É toda baseada na soma. Mas a maioria das pessoas não vê isso. Se você aprende que um mais um é igual a dois, tudo na matemática fluirá a partir disso. Tudo."

Mercado sempre focalizava o fundamental. Em determinada ocasião, ele ajudou o conjunto de música de câmara de Scott a se preparar para executar uma peça. Sob sua orientação, os rapazes passaram uma hora inteira trabalhando nos dois primeiros compassos da peça. Eles repetiam várias vezes, e Mercado sempre pedia para explorarem uma nova possibilidade: "Como gostariam de criar mais som aqui?", perguntava ele, apresentando novas idéias. Ao fim daquela hora, os músicos só tinham trabalhado em 2 dos 80 compassos. Então Mercado falou: "O.k., agora vamos tocar a peça inteira." A performance do conjunto tinha passado por uma profunda transformação. Os músicos tocaram a peça de maneira magnífica!

"Aquilo me mostrou o poder das coisas fundamentais. Não faça suas tarefas de qualquer jeito. Oriente seu pessoal a diminuir o ritmo e fazer as coisas passo a passo, executando muito bem o básico, colocando o fundamental em seu lugar", afirma Scott.

Recentemente, estávamos no escritório de um cliente e fomos convidados a participar de uma reunião com todos os gerentes. Dois deles não chegaram a tempo e o presidente da empresa queria começar logo a reunião e "falar com os que não tinham aparecido" posteriormente. Mas nós o fizemos entrar num ritmo mais lento, fazendo o grupo se concentrar em como lidar com os atrasos, as ausências e a falta de comprometimento das pessoas. No processo, os outros gerentes puderam realmente entender a natureza do comprometimento e sugerir uma política mais nova e criativa para resolver essas questões.

37. Motive fazendo

As pessoas podem ser divididas em dois tipos: as que vão adiante e fazem algo e as que ficam paradas e perguntam: "Por que isso não foi feito de outro modo?"

Oliver Wendell Holmes, escritor americano

A maioria das pessoas não faz as coisas na ordem de prioridade que escolheu racionalmente. Elas agem segundo suas emoções. É assim que orientam o próprio dia de trabalho. (Por falar nisso, é exatamente assim que os bebês vivem: sentem vontade de chorar, de rir, de babar... Essa é a vida de um bebê.)

Os profissionais dividem-se em duas categorias: os que fazem e os que sentem.

Os que fazem executam o que deve ser feito com o intuito de alcançar um objetivo estabelecido por eles. Vão trabalhar tendo planejado o que precisa ser feito.

Por outro lado, os que sentem fazem o que têm vontade de fazer. Checam sua temperatura emocional o dia todo, imaginando o que estão com vontade de fazer naquele momento. Suas vidas, seus resultados, sua segurança financeira são ditados pela flutuação de suas emoções, que mudam constantemente, é claro, fazendo com que seja difícil para alguém desse tipo concluir algo com sucesso. Suas emoções são modificadas por muitas coisas: biorritmo, perturbação gástrica, uma xícara de café forte, um telefonema irritante de casa, uma garçonete rude na hora do almoço, um resfriado, um pouquinho de dor de cabeça. Essas são as forças que ditam as regras e comandam a vida de um profissional que sente.

Os chefes também se enquadram nessas duas categorias. O que faz já sabe de antemão quanto tempo passará ao telefone, no trabalho de campo, que funcionários serão orientados naquele dia, que relações serão fortalecidas, que comunicações serão feitas. Esse tipo de gerente usa um sistema de três passos para obter êxito:

1. Decide o que quer realizar.
2. Imagina que necessidades terão de ser atendidas para conquistar o objetivo.
3. Simplesmente faz seu trabalho.

Isso não é uma teoria, é o sistema real infalível utilizado por todos os "realizadores".

O gerente que sente fica ao sabor de uma misteriosa vida de problemas inesperados e conseqüências deprimentes. Ele se pergunta: "Tenho vontade de dar os telefonemas agora?", "Tenho vontade de escrever aquele e-mail?", "Tenho vontade de dar uma passada na sala daquela pessoa agora?". Se a resposta for não, ele continua percorrendo a lista, perguntando-se: "Tenho vontade de fazer qualquer outra coisa?"

E vive nessa linha de interrogações o dia inteiro.

Por outro lado, o chefe que faz tem uma elevada auto-estima e obtém mais satisfação durante o dia, mesmo que algumas das tarefas que executa sejam precedidas de desconforto. O chefe que sente está quase sempre à vontade, mas nunca satisfeito de fato. O que faz conhece a verdadeira e profunda alegria que só os super-realizadores conhecem. O que sente acredita que a alegria é para as crianças e que a vida de um adulto é um aborrecimento constante.

O profissional que faz experimenta mais poder a cada ano. O que sente se vê cada vez menos poderoso com o passar dos anos.

A capacidade de motivar os outros aumenta exponencialmente à medida que a reputação do executivo como um profissional que *faz* aumenta. Ele também enxerga com mais clareza quem são os que fazem e os que sentem em sua própria equipe. Então, enquanto modela e recompensa quem faz, começa também a inspirar os funcionários a se tornarem pessoas que fazem.

38. Conheça os pontos fortes de sua equipe

Os poucos que usam sua força para incorporar as próprias fraquezas, aqueles que não se dividem, são muito raros. São poucos em qualquer geração e são eles quem a lideram.

Moshe Feldenkrais, psicólogo

Conheça os pontos fortes de sua equipe.

Foi esse princípio fundamental que inspirou o livro *Empresas feitas para vencer*, de Jim Collins, que explica como transformar o bom em ótimo. Esse conceito também se aplica às pessoas que você motiva. É muito mais eficaz montar as bases sobre os pontos fortes do que se preocupar demais com as fraquezas. O primeiro passo é realmente *conhecer* os talentos de seus colaboradores para ajudá-los a colocar esses dons em prática.

A maioria dos gerentes passa tempo demais, principalmente no mundo das vendas, tentando consertar o que está errado.

Seu pessoal pode identificar suas características negativas e dizer: "Ah, não sou bom nisso. Preciso mudar..." Mas ouça o tom de voz das pessoas ao dizer essas coisas! Elas parecem deprimidas e cansadas do mundo.

Eis aqui a fórmula simples que lhe permitirá fazer coisas maravilhosas: quando as pessoas se concentram no que há de ruim em si mesmas, *só o fato de focalizarem isso* já as deixa de mau humor. Elas confrontam penosa e sombriamente aquilo que têm de pior com uma espécie de mórbida honestidade. O tom de voz diminui porque o entusiasmo decresce e o desânimo se instala. Muito em breve estarão deixando certas atividades de lado, protelando e dizendo: "Isso não me deixa à vontade. Não gosto nem de pensar. Por algum motivo, não estou com ânimo para fazer esse trabalho. Sinto que não posso me dedicar a essa tarefa até me sentir um pouco mais energizado."

Visitamos uma empresa de computadores e conversamos com o gerente, Matt:

– Gostaria que minha equipe de vendas pesquisasse mais antes de tentar fazer uma venda por telefone – disse Matt.

E a seguir, quando nos sentamos com Byron, um dos homens de vendas, ele disse:

– É, não sou muito bom nisso.

– O.k., você não é muito bom nisso. Vamos adiante.

– Não, não, preciso consertar isso – disse Byron. – Preciso melhorar. Por que não me treinam? Como posso me superar?

E ouvíamos sua voz baixa. Sabíamos que a atitude mental de Byron era negativa o bastante para impedi-lo de melhorar naquela área.

Para fazer algo avançar, crescer e se fortalecer, as pessoas precisam estar animadas e positivas. Ter energia. É quando estão no auge.

– Mas quando meu pessoal terá energia? – quis saber Matt.

– Quando pensarem sobre as qualidades que possuem e que os ajudam com as vendas. Faça-os se perguntarem: "Sou muito bom em quê? Quais são os meus pontos fortes?" No minuto em que começarem a se concentrar nessas características, sua energia aumentará, assim como sua auto-estima e seu entusiasmo.

É daí que vem o estímulo à produtividade. Primeiro, é preciso descobrir no que a pessoa é boa; depois, o objetivo é fazê-la deixar de ser boa e passar a ser ótima.

Quando trabalhamos com Byron, o colaborador de Matt, dissemos:

– O.k., Byron, esqueça seus defeitos, esqueça seus pontos fracos. Provavelmente só tem pensado nisso nos últimos meses, não é?

– É – disse Byron. – Sabe, meu chefe me dá conselhos e me incentiva a corrigir essa falha. Mas o problema é que não tenho energia para resolver isso, fico mais desanimado ainda e não produzo.

– Byron, ponha essas atividades de lado. Esqueça todos os pontos fracos que precisam ser consertados. Não vamos consertar coisa alguma agora. Queremos um estímulo. Queremos um estouro de vendas que tire você do porão e o coloque no seu devido lugar, ao lado de outros grandes vendedores. Mais tarde, quando pudermos nos dar a esse luxo e estivermos entediados, sem imaginar o que fazer nas sessões de treinamento, poderemos pegar uma fraqueza e trabalhá-la por pura diversão. Mas não faremos isso por enquanto. Antes, precisamos reconhecer o seguinte: você *não será bom em nada até gostar do que faz*. Queremos descobrir aquilo em que você já é bom e avançar a partir daí.

– Bem, um de meus pontos fortes é o contato pessoal – disse Byron. – Adoro estar com as pessoas. Sou ruim ao telefone, com faxes e e-mails. Mas, quando fico cara a cara com os clientes, consigo falar, fechar negócios, vender mais que o esperado...

– Ótimo. Então, em vez de nos concentrarmos em suas atuações ao telefone ou por e-mail, vamos deixá-las de lado por enquanto. Só use o telefone, fax ou e-mail se precisar marcar um encontro. Não tente vender nada dessa maneira. Queremos desenvolver seus pontos positivos. Saia daqui e reúna-se com os clientes. Desenvolva aquilo em que você é bom, melhore-o. Não diga "Já sou bom nisso e basta". Claro que é bom. Mas você deve fazer a transição do bom para o ótimo, pois já percorreu mais de dois terços do caminho nessa direção.

Desejávamos afastar Byron da seguinte idéia: "Bem, já sou bom nisso, é natural para mim, fácil. Se ficar melhor vai parecer que estou trapaceando. Preciso mesmo é trabalhar naquilo em que sou ruim."

Para ser um grande motivador, é preciso olhar o comportamento humano de modo diferente. O caminho errado nos vem sendo ensinado desde a juventude! Se tiramos nota 10 em Ciências, mas falhamos em História, nossos pais dizem: "Não quero saber das outras notas, você precisa estudar História porque ficou abaixo da média. Então trate de se concentrar em História por enquanto."

A vida inteira somos ensinados que o modo de ter sucesso é melhorar o desempenho naquilo em que não somos bons, pegar as fraquezas e perder tempo com elas até levá-las para o nível "normal".

Só que trabalhar arduamente nossas fraquezas para levá-las do "subnormal" ao "normal" surte pouco efeito no aumento da produtividade.

Durante toda a vida nos ensinam que, quando somos bons em algo, é porque esse é um talento inato. Nossos pais dizem: "Ele é ótimo no piano. Deve ter puxado ao avô, tem um dom natural para a coisa." Assim, somos ensinados a não nos concentrarmos no tema, pois esse talento dará conta de si mesmo. "Você precisa *se concentrar* no que *não faz bem!*", dizem eles.

Pense no que você mais gosta de fazer e passe a *fazê-lo* o dia todo. Utilize aquilo em que sabe ser eficiente, pegue seu ponto forte e o eleve do bom para ótimo.

39. Debata consigo mesmo

Tenho mais medo de um exército de 100 ovelhas chefiado por um leão do que de um exército de 100 leões chefiado por uma ovelha.

Talleyrand, político francês

É preciso apenas metade de um dia para se inteirar de tudo, organizar tudo, limpar tudo e ficar pronto para começar a semana seguinte com uma nova perspectiva de vida, permanecendo organizado dali para a frente.

Mas mesmo assim você resiste.

Sabe que jamais vai "encontrar tempo" para executar aquele meio dia de reorganização. Assim, precisa *fabricar* tempo. As pessoas bem-sucedidas fabricam tempo para fazer o que é realmente benéfico e importante para elas. As outras continuam tentando "encontrar tempo".

Quando escutar um gerente dizer "Desculpe por não ter retornado sua ligação ontem. Eu estava atolado de trabalho", essa sensação de atolamento terá se tornado realidade.

Estar "atolado", porém, é apenas uma interpretação. Se aquele gerente estivesse trancafiado na solitária por cinco anos e alguém lhe oferecesse um trabalho em que tivesse uma porção de telefonemas a dar e tarefas a fazer, será que ele diria que isso é "estar atolado"? Não, ele diria que isso é estar maravilhosamente ocupado. O mesmo que estar no paraíso!

Como você prefere se sentir, então? Atolado ou ocupado?

Certa vez, num de nossos workshops, uma mulher comentou:

– Meu trabalho é um pesadelo. É um inferno na Terra.

– Qual é o pesadelo?

– Bem, o telefone não pára, tenho dois chefes diferentes, ambos me dizendo o que fazer. Tenho um escaninho de entradas de tarefas com uma pilha desta altura e todo dia volto para casa esgotada.

– O.k. Mas se a apresentássemos a uma mulher da Nigéria, cujo marido morreu há dois anos e que tem de arranjar comida no lixo para sobreviver, você acha que a convenceria de que seu emprego é um pesadelo? Será que ela iria querer trocar de vida com você? Seu trabalho pareceria um pesadelo para essa mulher?

– Não, para ela seria a maior bênção.

– Então seu trabalho é mesmo um pesadelo? Não, só em seu pensamento. É uma percepção. Você pode escolher outra, se quiser. Pode escolher outro emprego ou outra percepção. Você é livre.

Esteja disposto a ensinar aos membros de sua equipe a debater com eles próprios. A verdade é que, quando questionamos nossas próprias idéias, alcançamos outros níveis de pensamento. Começamos realmente a realizar algo quando temos coragem de nos questionarmos. Eis algumas perguntas que podemos fazer a nós próprios: "Isso é verdade mesmo? Meu gerente está mesmo conspirando contra mim? Isso está acontecendo de fato? Essa oportunidade é realmente ruim? O que mais eu poderia dizer sobre essa questão? Qual seria a maneira mais útil de interpretar isso?" Podemos encorajar as pessoas a questionar tudo o que é negativo.

Seja implacável com você mesmo ao debater o caos que se amontoa ao seu redor. Simplifique a vida para sentir o grande poder que você possui. Quando perguntaram a Vince Lombardi por que seu time campeão mundial de futebol americano tinha o sistema ofensivo mais simples de todos, sua resposta foi: "É difícil ser agressivo quando se está confuso."

40. Lidere com a linguagem

A principal responsabilidade de um líder é definir a realidade.

Max DePree, consultor empresarial e escritor

Certa vez trabalhamos com um grupo de gerentes de uma empresa atormentada pelo moral baixo. Os funcionários resmungavam e se colocavam no papel de vítima.

Quando sugerimos que os chefes usassem uma linguagem mais positiva em suas reuniões de equipe, tudo começou a mudar. Seu pessoal se tornou automotivado.

À medida que a reviravolta psicológica avançava, os gerentes começaram a abrir suas reuniões perguntando: "Quem gostaria de dizer uma palavra de reconhecimento a alguém neste momento?" E o tom da conversa começou a mudar para apreciação, em vez de queixa e crítica. De repente, o ânimo se tornou outro.

Em vez de se concentrarem nos problemas e se manterem paralisados, os líderes aprenderam a dizer: "Que oportunidades vocês vêem?" E apenas com a repetição dessa frase foi surgindo uma energia diferente daquela dos dias de moral baixo, quando eles perguntavam: "Quais são os problemas? O que temos de resolver? De quem é a culpa?"

Quando os líderes passaram a levantar questões mais positivas como "Que proveito podemos tirar disso?", os resultados começaram a mudar com mais rapidez.

– A semana passada foi dura. Vamos mudar o enfoque. O que podemos aprender com essa situação? Que novos sistemas podemos colocar em prática? Se essa dificuldade acontecer de novo, qual será o melhor modo de lidar com ela? Como podemos nos divertir com isso no futuro?

Os gerentes e executivos excluíram a linguagem de vítima de seu vocabulário. Ficaram mais fortes usando perguntas do tipo: "O que queremos? Qual é a nossa intenção? Qual é o nosso objetivo? Que resultado gostaríamos de ver?" Essa mudança – da linguagem de vítima para a da intenção – gerou resultados positivos como:

1. Menor rotatividade de pessoal.
2. Menor índice de faltas.
3. Disposição e moral elevados.
4. Maior produtividade.

E tudo isso aconteceu por causa da linguagem.

As palavras têm significado, formam pensamentos que criam coisas. O Novo Testamento diz: "No princípio era o Verbo." E há muita verdade nisso. As palavras colocam as coisas em movimento. Mude uma única palavra no que diz e você pode apavorar uma criança. Troque a palavra que a assustou e a criança ficará ótima. As palavras comunicam imagens, energia, emoções, possibilidades e temores.

As palavras também podem assustar um funcionário.

Às vezes as vítimas tentam ser líderes e não conseguem. Isso porque pensam que têm a obrigação de fazê-lo. Mas o espírito de liderança não é alcançado assim. Ele é leve, não um fardo pesado.

O pensamento "Eu *devia* agir como um líder" não o levará a lugar nenhum.

Todas as vezes que uma vítima descobre a linguagem da liderança e diz "Eu realmente *devia* agir como um líder", está simplesmente se expressando como uma vítima! Isso impele cada vez mais a pessoa para sentimentos de vítima.

Por que você deve agir como um líder?

– Bem, acho que o pessoal gostaria mais de mim. Me aprovaria mais.

Quem se importa com o que os outros pensam? O que *você* quer?

A liderança se baseia na intenção interna, pessoal, na nitidez de propósitos. O ato de bancar a vítima não se baseia na intenção, mas na circunstância e na opinião de outras pessoas. A vítima vive constantemente obcecada com o que os outros pensam.

– Bem, o que minha mulher acharia se eu fizesse isso? O que meus filhos pensariam? E o meu chefe? O que as pessoas achariam se me vissem cantando no carro? Se uma pessoa parasse perto de mim, o que ia pensar?

Passar o dia obcecado pelo que os outros pensam é o modo mais rápido de perder o entusiasmo pela vida, de perder aquela energia que o torna apto a fazer qualquer coisa.

As crianças não parecem se preocupar com nada. A maioria delas, quando faz algo de que realmente gosta, esquece que está sendo observada e até mesmo que há um mundo lá fora. Simplesmente se deixa levar. Os bons líderes fazem o mesmo.

41. Use o reforço positivo

O primeiro dever de um líder é ser otimista. Como seu subordinado se sente depois de uma reunião com você? Sente-se estimulado? Se a resposta é negativa, você não é um líder.

Bernard Montgomery, marechal-de-campo britânico
durante a Segunda Guerra Mundial

Ninguém se lembra disso. Todo mundo parece esquecê-lo. Mas o reforço positivo sempre vence a crítica.

Pouco importa se você está adestrando golfinhos ou motivando os membros de sua equipe – o modo certo de fazê-lo é por meio do reforço positivo. Não se vê adestradores no Sea World batendo nos golfinhos com um bastão de beisebol quando eles não pulam nos arcos certos. Em vez disso, nós os vemos dando pequenos peixes aos golfinhos quando eles atravessam os arcos da maneira correta.

Por que não conseguimos nos lembrar disso?

Estamos ocupados demais perseguindo os problemas e criticando as pessoas que os criaram. É assim que a maioria dos gerentes "lidera".

Na verdade, isso é uma armadilha do hábito. Certos procedimentos mínimos, porém, têm a capacidade de afastá-lo da armadilha. Você pode, por exemplo, fazer uma pausa antes de mandar um e-mail ou ligar para um dos membros da sua equipe e decidir que pequeno elogio pode lhe fazer.

O reforço positivo é poderoso quando se trata de orientar e modelar o desempenho humano. Essa revelação continua a nos surpreender, pois temos sido treinados por nossa sociedade a identificar o que está errado e consertá-lo.

42. Ensine à equipe o poder do "não"

No próximo século, os líderes serão aqueles que darão poder aos outros.

Bill Gates

Tina se reporta a você. E uma das coisas que ela relata é que está estressada e não consegue dar conta de todo o trabalho.

Após uma longa conversa sobre a vida dela no emprego, torna-se claro que Tina não tem objetivos, planos ou compromissos. Não é de espantar, portanto, que as pessoas se sintam livres para desperdiçar o tempo dela. Tina não consegue lhes dizer não, simplesmente porque não tem dito sim a ninguém.

Então você vai falar com ela.

– A maior vantagem de se fazer um planejamento e estabelecer objetivos é que isso a coloca novamente no comando. Permite que se concentre no que é mais importante para você.

– O.k., como mudo isso? – pergunta Tina. – Como aprendo a dizer não?

– Faça a si mesma essas perguntas: "Quais são os objetivos mais importantes para mim? E quanto tempo dedico a eles? Quais são as pessoas mais importantes para mim? E quanto tempo eu dedico a elas?"

Ouvimos muitas queixas de profissionais no setor empresarial com o mesmo tipo de vida dispersa. Eles contam que se sentem constantemente drenados pelas solicitações de pessoas que aparecem à sua porta dizendo: "Tem um minuto?"

Bata o pé com força diante disso. Está na hora de aprender a dizer não.

Quando aprender, ensine-o também aos outros. Torne isso uma lição valiosa.

A capacidade de concentração no trabalho depende do desenvolvimento de um músculo pouco usado, o Músculo do Não. Se você ou seus funcionários nunca o usarem, ele não conseguirá entrar em ação quando a situação for precária. Estará fraco demais. Qualquer solicitação feita por um colega ou parente irá tirá-lo de sua missão.

A chave para ensinar seu pessoal a desenvolver o Músculo do Não é primeiro desenvolver o Músculo do Sim. Se disserem sim às coisas que são importantes para eles, então dizer não para o que não é será cada vez mais fácil. Ajude-os a verbalizar o que querem. Faça com que expressem seus desejos alto e bom som.

– Tina, você precisa saber o que quer, de antemão, para ter chance de consegui-lo. Saiba o que quer de sua carreira e terá chance de obtê-lo. É fácil dizer não a algo quando você já disse sim a algo melhor.

43. Estimule sua equipe a tratar bem seus clientes

Existe apenas um patrão: o cliente.

Sam Walton

Nossos clientes são a fonte de onde se origina todo o dinheiro que temos e todas as coisas que possuímos. Não é a empresa que nos paga, é o cliente. A empresa apenas passa o dinheiro do cliente para nós.

Quando tiramos férias, é importante perceber que *o cliente pagou por elas*. Quando mandamos um filho para a faculdade, é com o dinheiro do cliente.

Sam Walton construiu o império Wal-Mart sabendo que havia sempre apenas um patrão: o cliente.

– E o cliente pode despedir todos os funcionários da empresa – dizia Walton –, incluindo o presidente, simplesmente gastando seu dinheiro em outro lugar.

Por que não começar a motivar seu pessoal de acordo com essa abordagem? Por que não mostrar à equipe a importância de tratar a relação com o cliente como uma verdadeira amizade? Pode ser, afinal de contas, a vantagem competitiva final.

Sem o encorajamento dos líderes, o cliente tende a sair da tela do radar. Se você não fizer as perguntas motivadoras e estimulantes a seu pessoal, o cliente pode até se tornar um "aborrecimento" ou um "mal necessário".

No afã de se vincular às pessoas que se reportam a eles, os chefes com freqüência se solidarizam com as histórias de terror dos funcionários sobre como é duro agradar os clientes, como o telefone tocando o dia inteiro dificulta a administração do tempo, como eles se sentem explorados pelos clientes... Ao concordar com isso você planta sem saber as sementes que permitem à equipe tratar os clientes de maneira fria, grosseira e pouco amigável.

E isso aniquila o propósito de seu negócio, tornando-se a raiz de todos os seus problemas empresariais.

Observe como você é tratado por uma companhia aérea em grandes dificuldades financeiras e como é tratado pelo pessoal de uma companhia altamente lucrativa. A companhia lucrativa dedica-se inteiramente aos problemas do cliente, ao passo que a outra companhia só se preocupa com seus próprios problemas.

O propósito do seu negócio é zelar de tal forma pelo cliente que ele crie o hábito de voltar à sua empresa para comprar mais e mais a cada vez. Mas isso só irá acontecer quando seu pessoal – de forma ativa, consciente, inteligente, estratégica, criativa e gentil – construir boas relações com os clientes. Construir a relação não é fácil. Vai contra nossos hábitos mais arraigados.

E isso nunca irá se concretizar se sua equipe vir o cliente como "um aborrecimento, alguém ao telefone checando os preços, um chato que me interrompe quando estou prestes a ir almoçar, mais um problema no meu dia, alguém tentando devolver algo ou desafiar meus anos de experiência, um pateta, um idiota...".

O motivo desse desprezo pelo cliente está na falta de incentivo constante para que as pessoas pensem de outra maneira. Em outras palavras, falta de liderança. Em outras palavras, você e eu. Uma atitude ruim em relação ao cliente sempre vem, de algum modo sutil, do topo.

Como líderes, nós damos o tom. Ou fazemos as perguntas certas que põem a bola em jogo na mente de nossos colaboradores ou não fazemos. Se sou um líder, quero fazer perguntas que respeitem a inteligência do meu pessoal. Quero tratá-los como se fossem especialistas em comportamento e padrões de pensamento do cliente – porque eles o são. Quero perguntar como podemos construir uma relação de mais confiança com o cliente. Como podemos converter um telefonema aparentemente simples num relacionamento caloroso que faça com que o cliente goste de nós e queira comprar de nós, sem se importar com o preço. Quero perguntar como podemos conseguir uma força de venda para conquistar a confiança do cliente e repetir o negócio. Quero pedir conselho e ajuda sobre a psicologia do cliente. Quero fazer as perguntas que irão motivar os funcionários a pensar em termos de clientes para toda a vida, em vez de pensar em transações isoladas.

Posso começar uma reunião com minha equipe dizendo:

"Suponhamos que você seja um cliente em potencial e esteja ligando para a minha loja. Suponhamos que você seja novo na cidade e ainda não tenha hábitos de compra nessa categoria de produto. A minha é a terceira loja para a qual você ligou. Se estou estressado e mal-humorado e simplesmente informo o preço que você pediu e desligo, posso tê-lo perdido para sempre. Que importância tem? Uma perda de 69 reais não vai nos matar! Mas considere o impacto de uma vida inteira – ou pelo menos dos próximos 10 anos. E se aquele cliente gastasse 400 reais por ano? (A maioria das pessoas vai a certas lojas apenas porque se sente bem indo lá.) Em 10 anos, ele teria gasto 4.000 reais. São 4.000 reais perdidos por causa de um telefonema ruim de menos de um minuto. Se um funcionário perdesse 4.000 reais da caixa registradora num minuto, ele ainda estaria trabalhando para nós?"

Finalmente, como trataríamos o cliente se ele fosse um amigo querido?

Por que a palavra "amigo" é ouvida tão raramente no mundo das relações de negócios? Os amigos são realmente "melhores" do que os clientes? Seu melhor amigo aparece regularmente e lhe dá dinheiro para ajudá-lo com o pagamento do aluguel? Seu amigo puxa o talão de cheques depois de tomar uma cerveja com você e diz "Isso aqui é para pagar a conta do dentista de sua filha"? Não!

Nossos clientes fazem isso.

44. Aproveite a melhor hora para o maior desafio

É muito difícil quando imaginado de antemão, mas muito fácil quando você o executa.

Robert Pirsig, filósofo e escritor americano

Encare o seu maior desafio na melhor hora do dia.

Nem sempre é possível fazer isso. Às vezes os desafios conseguem abrir um buraco no meio da sua programação. No entanto, sempre que possível, veja se pode *combinar* seu melhor período biológico (emocional, físico, mental) com o grande trabalho que você tem de fazer.

Muitos líderes rendem melhor nas primeiras horas da manhã; outros atingem o período mais frutífero no fim da manhã; outros, ainda, à tarde. Seja qual for o seu melhor período para brilhar, não o desperdice com coisas triviais e atividades de baixo retorno. Invista essa energia e o auge de sua atenção no grande desafio que você vem adiando.

A maioria de nós confunde prazer com felicidade. Encontramos grande prazer em desperdiçar nosso pico de energia em tarefas pequenas, executando-as com alívio e perspicácia, fazendo desaparecer todas essas obrigações menores com energia e animação. Enquanto isso, porém, a tarefa importante fica à espreita, esperando até que estejamos cansados e mal-humorados para ser considerada, razão pela qual é colocada de lado com tanta freqüência.

Saiba de antemão qual é o seu maior desafio. Determine-se a enfrentá-lo durante o período em que você estiver no auge de sua capacidade e de sua energia. Essa é a fonte máxima da felicidade profissional de um líder: o sentimento de realização que é obtido quando se toma nas mãos a tarefa mais importante.

Só de ver a expressão no rosto do líder os outros se motivarão a segui-lo.

45. Use bem os 10 minutos

O ser humano não deve permitir que o relógio e o calendário o ceguem para o fato de que cada momento de sua vida é um milagre e um mistério.

H. G. Wells, escritor inglês

Perguntaram ao filósofo contemporâneo William Irwin qual era o segredo da liderança eficaz. Ele respondeu: "Aprenda a usar 10 minutos com inteligência. Isso irá lhe proporcionar dividendos gigantescos."

Em geral, o que separa um grande líder de um péssimo administrador é apenas isso: a capacidade de usar bem os 10 minutos.

Colocamos um quadro com a frase de Irwin na parede de nosso escritório, pois ter citações curtas e motivadoras penduradas à vista de todos realmente ajuda. É um modo de despertar para o próprio potencial, especialmente quando se tem apenas 10 minutos antes do próximo compromisso. Você irá usá-los de forma inteligente? Ou irá fazer hora?

Uma visita que fizemos recentemente ao escritório de um líder de muito sucesso mostrou-se mais enriquecedora quando notamos o cartaz inspirador atrás de sua mesa com os dizeres:

AS PALAVRAS MAIS IMPORTANTES

5 palavras importantes: *Eu me orgulho de você!*
4 palavras importantes: *Qual é sua opinião?*
3 palavras importantes: *Sim, por favor.*
2 palavras importantes: *Muito obrigado.*
1 palavra importante: *Você.*

Eis outra citação afixada na parede de um escritório. Esta é de Charles Buxton, o famoso advogado e membro do Parlamento inglês em meados do século XIX: "Você jamais 'encontrará' tempo para coisa alguma; se quiser tempo, terá de fabricá-lo."

E às vezes aquela tarefa fundamental para a qual não *encontramos* tempo tem de ser encaixada na próxima brecha de 10 minutos.

46. Saiba o que quer plantar

A disciplina é a ponte entre os objetivos e as realizações.

Jim Rohn, escritor e motivador americano

Quase todos os gerentes, especialmente os que têm dificuldades em "fazer planos", colocam os números do planejamento em sexto lugar na sua lista diária de prioridades, depois dos seguintes itens.

1. Não chatear os outros.
2. Comprometer-se a parecer extremamente ocupado.
3. Combater incêndios e resolver problemas.
4. Explicar e justificar os desempenhos dos outros, sejam eles bons ou ruins.
5. Ser estimado.

Há poucos anos vimos um brilhante consultor empresarial aparecer numa organização com problemas financeiros e virar tudo de cabeça para baixo. Ele conseguiu isso alterando as prioridades.

A primeira coisa que fez foi colocar ENORMES tabelas com resultados na sala de reuniões, contabilizando as atividades da empresa e as vendas diárias.

Até então os números da empresa eram abordados com constrangimento. Se as pessoas não estivessem atingindo bons números, os gerentes desperdiçavam um bocado de tempo ouvindo suas justificativas.

O pessoal de vendas se tornou eficiente em vender *desculpas*, não produtos. Todas as reuniões de alto escalão eram centradas em "Circunstâncias, tópicos e situações que nos impedem de ter êxito".

Outro dia, conversamos com um executivo de operações de outra organização que se encontrava muito atrás de suas projeções de negócios.

– Não estamos fazendo um planejamento – disse ele.

– Por que não?

– A economia. O clima. A guerra. O modo como as crianças são criadas hoje. A falta de bons candidatos para cargos aqui. Problemas da companhia. Declínio da indústria. Regulamentações do governo. O aumento da competição. Nenhum orçamento para treinamento em vendas.

– Fora isso, o que está atrapalhando você?

Quando passamos a freqüentar as reuniões da empresa, observamos que elas giravam sobre aqueles assuntos. Todas as reuniões se concentravam nos obstáculos ao sucesso.

Aquilo em que você se concentra cresce.

Concentre-se em números, e eles também crescerão.

47. Não ponha seu coração de lado

Só avança na vida aquele cujo coração se torna mais compassivo, cujo sangue se torna mais quente, cujo cérebro se torna mais rápido e cujo espírito mergulha numa paz viva.

John Ruskin, filósofo e escritor inglês

Aqueles que realmente obtêm êxito como líderes e vendedores não se prendem ao conceito de administrar e vender (embora tenham um grande respeito por ele): eles o transformam no conceito cotidiano de construir relações.

Eles sempre pensam em termos de sua relação com o outro. Como consigo fazer isso melhor? Como posso servi-lo? Como contribuir para sua vida hoje? Como demonstrar meu compromisso com ele? Como deixá-lo mais feliz? Como fazer com que tenha acesso mais fácil a tal informação?

Há uma contínua expansão da cordialidade na relação. Um líder sabe que a comunicação resolve todos os problemas. E a falta de comunicação piora todos eles.

Nenhum acordo de liderança pode ser feito sem uma conversa. Portanto, faça com que suas conversas sejam vitais. Converse muito e de forma calorosa para chegar ao seu objetivo final.

O renomado professor Lance Secretan escreveu 13 livros sobre liderança e resume da seguinte maneira suas descobertas: "Liderança é menos sobre técnica e métodos e mais sobre abrir o coração. Liderança tem a ver com inspiração – para si próprio e para os outros. A grande liderança diz respeito a experiências humanas, não a processos. Liderança não é uma fórmula ou um programa, é uma atividade humana que vem do coração e leva em conta o coração dos outros."

48. Ensine a equipe a eliminar as pendências

Nada é tão fatigante quanto a eterna pendência de uma tarefa não concluída.

William James, psicólogo e filósofo americano

Se os membros de sua equipe estão cada vez mais exauridos e fatigados, cabe a você ajudá-los a redirecionar o curso de ação de modo a concluir os projetos em andamento.

Certa vez, há muito tempo, fomos a uma apresentação de Cheryl Richardson, uma das melhores *personal coaches* americanas, que ajuda profissionais a organizar melhor suas vidas. Quando nos inscrevemos para a palestra, não conhecíamos o trabalho dela.

Cheryl se levantou e perguntou a todos nós: "Vocês podem fazer uma lista das 10 principais coisas que estão inacabadas em sua vida e que precisam ser terminadas?"

Todos podiam, é claro. Então a fizemos. A seguir, ela nos deu um exemplo de como treina seus clientes.

Quando um massagista foi lhe pedir uma consultoria, Cheryl lhe perguntou:

– Qual é o problema?

– Preciso de um volume maior de negócios – disse o cliente.

– O.k. – respondeu ela. – Quero que você anote as 10 principais coisas que precisa completar em sua vida.

O cliente escreveu. Então Cheryl disse:

– Agora, quero que se comprometa a concluir essas tarefas.

– Tudo bem, mas não foi por isso que vim consultar você – disse ele. – Estou aqui porque preciso de um volume maior de negócios.

– Eu sei – disse Cheryl. – Termine isso e terá um volume maior de negócios.

– O quê? – perguntou o massagista. – Isso não tem nada a ver com conseguir mais clientes.

– Na realidade – explicou Cheryl –, tudo o que está incompleto drena sua energia. É isso que está impedindo você de ter mais clientes.

– Mas isso não faz o menor sentido.

– Acredite em mim. Eu ganho a vida fazendo isso! – disse Cheryl. – Aconselho dezenas de clientes com o mesmo problema. Não quer tentar? Se não quiser, não tenho como ajudá-lo.

– Certo. Seja como for, preciso mesmo concluir essas tarefas.

Assim, ele se comprometeu a concluir três dos 10 itens da lista até a próxima consulta.

Na semana seguinte, ele apareceu e disse:

– Completei minha tarefa.

– E o que aconteceu? – perguntou Cheryl.

– Foi surpreendente! Antes mesmo de a primeira semana terminar, três pessoas completamente desconhecidas me ligaram e preencheram minha agenda.

– É assim que funciona – disse Cheryl.

Nunca esquecemos essa lição e a temos ensinado desde aquele dia. Não é apenas o fato de seu pessoal ter todas essas tarefas por fazer que atrapalha, mas também a preocupação subjacente com elas. A presença disso no inconsciente consome a energia, drena a produtividade e a vitalidade da sua equipe. Ajude seus funcionários a concluir as pendências e a motivação deles o surpreenderá.

49. Aplique a matemática em sua abordagem

Ganhamos a vida com o que obtemos, mas construímos uma vida com o que damos.

Winston Churchill

Você irá realmente gostar de motivar os outros se começar a pensar em sua vida como uma equação matemática.

Vimos pela primeira vez a graça e o benefício dessa abordagem quando um amigo, o diretor executivo Duane Black, resolveu a equação em duas folhas de papel diante de um grupo de gerentes.

Aqui vai: quando se é positivo (representado pelo símbolo matemático +), *soma-se* algo a qualquer conversa ou reunião da qual se participe. Ser positivo é isso: a pessoa acrescenta.

Quando se é negativo (–), *subtrai-se* algo da conversa, da reunião ou da relação da qual se participa. Se alguém é negativo, muitas vezes subtrai tanto da relação que não sobra mais relação. É simples matemática. É a lei do universo: o positivo soma, o negativo subtrai.

Como na matemática, quando um ponto negativo é acrescentado, o total diminui. Acrescente uma pessoa negativa à equipe, e o moral e a energia (e portanto a produtividade e o lucro) da equipe serão diminuídos.

Se você é um líder positivo, com pensamentos positivos sobre o futuro e as pessoas que lidera, *acrescenta* algo a cada pessoa com quem conversa. Agrega algo de valor a cada comunicação. Até mesmo cada e-mail (que seja positivo) soma algo à vida da pessoa que o recebe. Porque o positivo (+) sempre acrescenta algo.

E vai mais fundo do que isso. Se você tem pensamentos positivos ao longo do dia, está somando à sua própria experiência interior. Cada pensamento positivo significa um ponto extra para seu espírito e sua energia.

Os pensamentos negativos retiram substância da experiência de estar vivo e roubam sua energia.

Diga a si mesmo: "Gosto dessa matemática. Gosto de sua simplicidade. Posso agora fazer essa matemática o dia inteiro. Quando surgirem pensamentos negativos sobre minha equipe ou minha lista de tarefas a executar, é hora de fazer uma pausa, reagrupar as forças e dar uma refrescada. É hora de dar um tempo, fechar os olhos e relaxar, tendo em mente meu objetivo e minha missão. É hora de ir mais devagar e renovar o ar. Faço muitas pausas assim durante o dia, e tal prática está mudando minha vida para melhor, deixando-me mais forte e mais enérgico do que antes."

Sua força e energia motivam os outros.

Como disse o escritor Carlos Castañeda: "Podemos nos tornar infelizes ou nos tornar fortes. A quantidade de trabalho é a mesma."

50. Participe

Decidir situar-se no nível da escolha é assumir a responsabilidade e o controle de sua vida.

Arbie M. Dale, psicólogo e escritor

Líderes que assumem a posição de dono motivam mais eficazmente os outros do que líderes que bancam vítimas da estrutura "corporativa" ou das decisões do alto escalão.

Isso porque "os donos" tomaram a decisão consciente de *viver no nível da escolha.* Eles sempre dizem "Contem comigo. Estou nessa".

Os líderes que vivem no nível da escolha não dizem "Contem comigo" por serem puxa-sacos. Na verdade, não se importam muito com quem é quem na empresa. Eles vestem a camisa porque isso torna a vida mais interessante e o trabalho mais divertido. Seja uma partida de futebol num churrasco de fim de semana ou o último grande projeto da empresa, *é mais divertido* cooperar e participar com afinco.

Digamos que a companhia determine que todos se dividam em equipes experimentais. O gerente-vítima diz: "Vou esperar para ver. Que negócio é esse que estão empurrando para cima da gente agora? Já não basta eu ter de trabalhar que nem um condenado, ainda preciso entrar nesses jogos? Que história é essa de equipe sintonizada em sentimentos? Não vou participar disso por enquanto; vou esperar. Uns cinco anos."

Nesse meio-tempo, o líder-dono está dizendo: "Ora, não vou julgar essa iniciativa. Seria um desperdício de energia mental. Vou aceitar. Por quê? Porque isso merece cooperação? Não. Pouco me importa se a merece. Vou participar porque me dá mais energia e torna o trabalho mais divertido. Eu mereço ser feliz no trabalho e sei, por experiência própria, que é bom participar."

A verdadeira liderança propicia um espírito de cooperação que não está vinculado à questão de a política da empresa merecer ou não apoio. A fonte da cooperação é o compromisso pessoal de ter uma grande experiência de vida. Os verdadeiros líderes não personalizam negativamente as empresas para que trabalham, pois esse hábito é uma forma de doença mental.

Proteja sua saúde mental. Seja um exemplo positivo. Isso motivará os outros.

Os verdadeiros líderes não esperam que a empresa lhes dê algo de bom para seguir. Eles tomam a iniciativa, *assumem* a liderança.

Organização nenhuma poderá se equiparar, algum dia, a um grande indivíduo. O homem sempre será mais criativo do que a empresa.

51. Relaxe primeiro, motive depois

Um capitão assustado torna a tripulação assustada.

Lister Sinclair, dramaturgo e radialista canadense

O grande professor de música e motivador de artistas Rodney Mercado tinha uma receita simples para o sucesso. Ele costumava dizer: "Existem apenas dois princípios que é preciso seguir para se tocar lindamente ou ter uma vida maravilhosa: concentração e relaxamento. E ponto. Nada além disso."

Quando Scott ouviu essa observação pela primeira vez, ficou indignado.

– O quê? Isso não tem nada a ver com música!

– Tem tudo a ver com música.

A receita de relaxamento de Mercado era a seguinte: "Você precisa alcançar o máximo de relaxamento. Se quer tocar mais rápido, precisa relaxar mais. Se quer tocar mais alto, precisa relaxar mais. Se quer produzir mais som, precisa relaxar mais."

Scott achava aqueles conselhos contraditórios, pois acreditava que a motivação estava relacionada à agitação. "Essa sempre fora a minha impressão para motivar: acenda uma chama! Assuma a liderança!", conta Scott.

Se ele queria tocar mais rápido, ficava agitado e tenso, e tentava com mais afinco. Se queria obter mais em qualquer aspecto da vida, ficava tenso com a tentativa.

Mas Mercado tinha uma visão bem diferente: "Vou tocar um trecho de música e quero que você apenas escute por um momento."

Scott lembra que o professor quase estourou as cordas do violino. Tecnicamente estava tudo certo, mas soava como se Mercado fosse arrebentar as cordas porque havia muito som e movimento sendo produzido.

Então o professor disse: "Agora, Scott, quero que coloque a

mão sobre o meu antebraço enquanto toco de novo esse trecho e sinta o que está acontecendo enquanto faço isso."

Quando Scott colocou a mão sobre o antebraço do professor, ficou atônito, pois o braço dele estava quase totalmente relaxado. Não havia qualquer tensão nos músculos. De repente ele compreendeu.

"*Compreender* mudou não só o meu conceito de tocar violino como também a visão sobre *o que eu estava fazendo na vida*. Eu tinha vivido tenso e me esforçado para obter sucesso, em vez de relaxar para chegar a ele. A mesma fórmula funciona para um corredor de alta velocidade no atletismo. O que a maioria dos corredores faz quando tenta correr mais rápido é colocar mais esforço em seu desempenho. E, sem perceber, tensionam os músculos e seus tempos pioram. Tentar com mais empenho os torna mais vagarosos! Os corredores não percebem que estão no auge de seu estado de relaxamento durante seus tempos mais rápidos", diz Scott.

Scott passou a adotar esse princípio em todas as situações. Se está à frente da diretoria da empresa ou de qualquer outro grupo, sabe que o segredo é o relaxamento.

"O que as pessoas costumam fazer? Elas ficam nervosas, tensas e seu desempenho cai. Seguindo os ensinamentos de Mercado, sempre que me sinto tenso, diminuo o ritmo e relaxo completamente", explica Scott. "As palavras dele parecem ecoar nos meus ouvidos: 'Se você começa a tremer, só há um motivo: você está tenso. Se relaxar, não pode tremer. Se começa a tremer, é sinal de que não está relaxando.'"

Muitos líderes se apresentam à frente de sua equipe ou de sua companhia tão nervosos por falarem em público que perdem a capacidade de motivar qualquer um!

Se você precisa falar para seu pessoal e se sente tenso, como se as palavras não viessem do coração, pratique relaxar no local em que vai se apresentar. Se suas pernas começarem a tremer, não se preocupe. É apenas um momento de feedback, é seu corpo dizendo que você não está relaxado. Se estivesse, não tremeria; seria fisicamente impossível. Uma vez que relaxamos, tornamo-nos oradores bem melhores. Portanto, não pratique apenas a palestra que vai fazer. Pratique relaxamento também.

52. Não aperte o botão da desistência

A maioria das pessoas tem êxito porque se determinou a tê-lo. Gente medíocre às vezes consegue um sucesso notável simplesmente porque não sabe quando parar.

George Allen, treinador de futebol americano

Todo ser humano tem uma parte pouco conhecida do cérebro em comum: o Botão da Desistência.

Alguns, por hábito de uma vida inteira, usam o Botão da Desistência ao primeiro sinal de frustração. Quando seus exercícios físicos ficam puxados demais, eles apertam o Botão da Desistência e vão para casa. Se os telefonemas do dia se tornam frustrantes, eles apertam o botão e saem para tomar um café com um colega e passar duas horas em negatividade solidária.

Todos têm um Botão da Desistência. Nem todos o sabem.

Passe a conhecê-lo. Observe o momento em que aperta o botão. Você não pode abandonar o que está fazendo até apertá-lo. O ser humano, como qualquer animal, tende a persistir até que um objetivo seja alcançado. Note como as crianças conseguem o que querem e verá a persistência natural.

Entretanto, em algum ponto ao longo do caminho, nos deparamos com esse pequeno botão. Logo começamos a usá-lo. Alguns começam após uma grave frustração; a seguir, após frustrações médias, até que finalmente ele é utilizado ante qualquer desconforto. Nós simplesmente desistimos.

Se você não tivesse o hábito de apertar o botão cedo demais, alcançaria virtualmente qualquer objetivo que estabelecesse. Jamais desistiria de sua equipe. Bateria a meta de vendas todos os meses. Perderia todos os quilos que sempre quis perder. Conquistaria qualquer coisa que quisesse, porque não apertaria o botão.

O Botão da Desistência é algo em que você pode se concentrar, sobre o qual pode aprender e que pode fazer funcionar a seu favor, em vez de contra você. Apertá-lo cedo ou tarde é apenas uma questão de hábito. O hábito de apertá-lo é interpretado erroneamente como falta de força de vontade, coragem, ímpeto ou desejo, mas isso é bobagem. É só um hábito. E, como qualquer hábito, pode ser substituído por outro.

Habitue-se a *não* apertar o Botão da Desistência cedo em qualquer processo. Não desista de ser um líder nem de fazer com que sua equipe seja composta de pessoas produtivas. Quanto menos vezes você desistir, mais motivador se tornará.

53. Lidere com entusiasmo

Nada grandioso jamais foi criado sem entusiasmo.

Ralph Waldo Emerson

O mundo é um palco.

Você é um grande ator nesse palco.

Portanto, quando for a sua vez de aparecer em cena, demonstre entusiasmo! Sobretudo se tiver algo que possa estimular sua equipe. Se precisa convencê-la de alguma coisa, tente ser realmente entusiástico sobre o que tem a dizer, simplesmente como um ponto de partida.

Quando seu colaborador responder, mostre um brilho nos olhos. Solte centelhas. Irradie liderança e soluções.

Quando estiver pronto para envolver a equipe, não desapareça... Lembre-se de que você está *agindo* de forma entusiástica. Você é um ator, e dos bons. Termine com um *gran finale*. O entusiasmo é contagiante, e todos adoram estar perto dele. Isso os fará sorrir e se movimentar.

A maioria dos gerentes comete o erro de não fazer isso. Eles agem de modo reservado, frio, "profissional". Não agem de modo "profissional" porque *são* profissionais, e sim porque ficam com medo (de como estão se saindo) e acham que é mais seguro adotar uma postura distante.

Conversamos com Jeremy sobre uma palestra que sugerimos que ele desse para sua equipe.

– Você pareceu menos entusiasmado sobre o novo sistema de comissões, Jeremy.

– É mesmo? Não percebi.

– A questão é essa.

– Como assim?

– Você não está percebendo sua falta de entusiasmo porque resolveu não ter consciência disso.

– Foi uma escolha?

– Você está escolhendo ser menos entusiástico.

– Ah, não concordo. Acho que não estou fazendo escolha alguma – disse Jeremy.

– Você fala espanhol, não é, Jeremy?

– Falo. Sou bilíngüe. Isso ajuda com certos clientes.

– Percebeu que fez a palestra para sua equipe em inglês? Notou isso?

– Claro.

– Escolheu falar em inglês?

– Claro que sim! A equipe toda fala inglês. Aonde quer chegar? – perguntou ele.

– A escolha do idioma foi tão clara e definida quanto sua escolha de não ser entusiástico. Recomendamos que não deixe o entusiasmo de lado ao lidar com o seu pessoal.

Jeremy ficou em silêncio.

– A frieza não vende. Profissionalismo sem paixão não causa impacto. É esquecido na mesma hora, juntamente com a idéia que você está promovendo.

A palavra "entusiasmo" vem do grego *en theos*, que quer dizer "o Deus no interior", o seu eu mais vigoroso e espiritual. Você elevado à décima potência. Como quando era criança e guiava a bicicleta sem pôr as mãos no guidom.

O entusiasmo é contagioso. Se você está animado com uma idéia, todos o ficarão. É assim que funciona. Lembre-se sempre da observação de Ralph Waldo Emerson: "Nada grandioso jamais foi criado sem entusiasmo."

Você pode liderar com ou sem entusiasmo. A escolha é sua. Uma delas constrói uma equipe altamente motivada; a outra cria problemas a longo prazo.

– Mas como posso me mostrar animado quando não estou? – disse Jeremy finalmente.

Os gerentes perguntam isso o tempo todo. A resposta é fácil. A maneira de *ser* entusiasmado é *agir* com entusiasmo. Não há uma pessoa no mundo que possa distinguir entre as duas coisas se você colocar coração e alma na atuação. E, cerca de um minuto e meio depois do início da sua encenação, acontece a coisa mais curiosa: o entusiasmo se torna real. Você o sente. E sua equipe também.

54. Estimule a concentração

A primeira lei do sucesso é a concentração; fazer todas as energias convergirem para um único ponto e ir diretamente a ele, sem olhar para a direita nem para a esquerda.

William Matthews, jornalista

Um outro princípio em que o professor Mercado acreditava era o poder da concentração, ou foco. E ele fazia com que seus alunos entendessem isso por meio de um sistema bem peculiar.

"O professor Mercado nos fazia dar recitais de música, como faz a maioria dos professores. Mas, nesses recitais, ele nos pedia para tocar nossas peças duas vezes", recorda Scott. "Na primeira vez nós as tocávamos como em qualquer recital-padrão. Mercado dizia: 'O.k., agora vamos tocá-la de novo. Todos vão ter a chance de executar a peça uma segunda vez.'"

Na segunda vez, porém, enquanto os músicos tocavam, Mercado distribuía pedaços de papel para o público com instruções escritas como "Vá até o músico e puxe a orelha dele", "Cante uma música engraçada". O professor chegava a dizer para o acompanhante do músico: "Mais rápido", "Mais devagar", "Pare".

Mercado ia até os músicos enquanto eles tocavam e fazia coisas ainda mais radicais! Puxava o arco do violino. Desafinava as cordas para que os músicos não conseguissem obter nenhum som delas. Depois, começava a afinar o instrumento de novo. Basicamente, o inferno tomava conta do palco durante essas segundas atuações.

No final, ele perguntava a cada um dos músicos qual tinha sido a melhor atuação. A primeira, normal, ou a segunda, infernal?

A maioria das pessoas acha que eles respondiam que era a primeira, do modo normal. Mas, invariavelmente, a segunda atuação – aquela em que eram mais distraídos – era a melhor.

E todos admitiam isso! "Por quê?", perguntava Mercado. O motivo era terem sido forçados a se concentrar de forma plena e focalizar internamente a música que tocavam. Eram obrigados a excluir qualquer outro impacto ou interferência do meio ambiente. Se fossem prestar o mínimo de atenção ao que acontecia em torno deles, ficariam irremediavelmente perdidos.

E assim, por causa do foco interno total no que estavam tentando produzir – a música – e por excluir todo o resto, inclusive o músico que os acompanhava, conseguiam uma performance fantástica diante de todas aquelas dificuldades.

"Foi uma lição fantástica", diz Scott. "E costumo empregá-la do seguinte modo: cada vez que estou perturbado pelo caos à minha volta, *utilizo-a* para me concentrar ainda mais."

Se você quer ter os membros de sua equipe verdadeiramente inspirados pelo seu exemplo, ensine-os a usar as distrações para se concentrarem mais, não menos. Mostre-lhes como fazer isso.

55. Inspire estabilidade interior

Tornar-se um líder é tornar-se você mesmo. É simples assim e também difícil assim.

Warren Bennis

Buscamos arduamente a estabilidade. Todos os líderes que treinamos e com quem trabalhamos estão tentando encontrar mais estabilidade no trabalho, na carreira e, sobretudo, em suas empresas.

A chave da estabilidade, contudo, é não procurá-la *fora de você*. É inútil tentar encontrá-la em sua empresa ou em sua profissão. É preciso olhar para dentro, enxergar a si mesmo no espelho. Procure-a dentro de seu entusiasmo pelo trabalho. Às vezes aquele ânimo interno precisa ser construído do zero, da improvisação.

O psicólogo Nathaniel Branden coloca a questão do seguinte modo: "É provável que lhe tenham dito quando jovem: 'A verdade, garoto, é que a vida não gira em torno do que você quer. O que você quer não é importante. A vida consiste em fazer o que os outros esperam de você.' Se você aceitou essa idéia, deve estar se perguntando o que aconteceu com seu entusiasmo pela vida."

Pergunte-se o seguinte: eu me sinto bem comigo mesmo? Tenho orgulho de minha liderança hoje? Sinto aquela emoção maravilhosa que experimentamos ao fim de um bom dia quando sabemos que acertamos? Em caso afirmativo, essa opinião é vital (e visível) para as pessoas que quero motivar.

Se você pode desenvolver sua autoconfiança como líder, então pode infundir estabilidade em sua carreira. É daí que vem a verdadeira estabilidade, capaz de sobreviver a essa era de mudanças externas rápidas.

O mercado de trabalho muda, a indústria toda muda, o mundo também. A cada manhã que abrimos o jornal ou nos deparamos com as notícias, algo fundamental está diferente. Alguma coisa importante jamais será a mesma. Essas mudanças rápidas são aterrorizantes para pessoas instáveis, que desejam que as coisas permaneçam iguais. Elas não conseguem dormir. E as mudanças continuam a acontecer.

Por outro lado, não há nada que motive mais as pessoas do que a presença de um líder com auto-estima e estabilidade interna.

Desenvolvemos nossa auto-estima aos poucos exatamente como os atletas constroem sua força. Eles não o fazem da noite para o dia, e sim dia a dia, acrescentando um pouco mais de peso à barra, um pouco mais de distância na corrida. Em pouco tempo se tornam atletas notáveis, poderosos, magníficos.

O mesmo ocorre com a liderança. Um pequeno progresso a cada dia: na comunicação, ao delegar, na liderança servidora, ao ouvir as pessoas. Conseguindo-se 2%, talvez 4% de avanço, melhor ainda. Apenas isso.

Trata-se de um movimento consciente, e é inspirador estar por perto.

56. Desista de ter sempre razão

Devo seguir as pessoas. Não sou o seu líder?

Benjamin Disraeli

Quando as pessoas são promovidas a uma posição de gerência, em geral consideram muito importante mostrar aos outros que *elas sabem o que estão fazendo.*

Depois, transformam isso numa ânsia de ter sempre razão. Acham que só serão admiradas se estiverem certas sobre as coisas, e com isso não lidam com seu pessoal de forma humilde.

Tornam-se incapazes de admitir que erraram e confessar aos outros: "Sabe de uma coisa? Você estava certo a respeito daquele assunto."

Um líder realmente forte e motivador, admirado e respeitado, é o que não tem *obrigação* de estar certo sobre coisa alguma. Jamais.

Há muito mais poder em admitir para alguém: "Olha, agora que ouvi o que você disse, percebi que tem razão. E vou tomar providências para que seja feito desse modo." Essa é a pessoa que irá realmente motivar os outros.

Estar certo jamais terá importância a longo prazo. O que importa é realizar algo. Posso estar errado sobre absolutamente tudo dia sim, dia não, e ainda assim ser um líder extraordinário. Por quê? Porque extraí o melhor de meu pessoal. Ensinei-os a tomar suas próprias decisões. Fiz aparecer sua força, sua lealdade, seu ótimo desempenho, e todos os números correram na minha direção.

57. Mantenha-se alerta

Há muita gente pensando mais em segurança do que em oportunidade. Parecem ter mais medo da vida do que da morte.

James F. Byrnes, ex-secretário
de Estado americano

A mudança assusta tanto meu pessoal que chega a ponto de me assustar.

Portanto, um modo de construir minha força interior como líder é aumentar a consciência do que é a vida e do que é o mundo dos negócios. Quanto mais consciente me tornar, melhor líder serei.

Não quero simplesmente enfiar a cabeça na areia e dizer: "Mas estamos fazendo isso há 20 anos." Não pretendo repetir eternamente: "Não quero saber que as coisas mudaram. Só desejo que tudo seja como costumava ser e que as pessoas sejam como sempre foram."

Porque se eu não tiver uma verdadeira compreensão do que são as pessoas de hoje, especialmente os mais jovens, e de como estão apreendendo a vida, minha capacidade de liderança declinará ao longo dos anos e logo me tornarei irrelevante.

Como escreveu Nathaniel Branden, em *Auto-estima no trabalho:* "Agora vivemos numa economia global caracterizada por mudanças rápidas, avanços científicos e tecnológicos acelerados e um nível de competitividade sem precedentes. Esse desenvolvimento cria demandas por níveis mais altos de educação e treinamento do que os exigidos das gerações anteriores. Todos aqueles ligados à cultura empresarial sabem disso. O que não está claro é que tudo isso também cria novas demandas sobre nossos recursos psicológicos, exigindo maior capacidade de inovação, auto-administração, responsabilidade pessoal e direcionamento."

Antes, os líderes eram chefiados por outros líderes, gerentes eram gerenciados por outros gerentes e não havia tanto espaço para flexibilidade. Diziam-nos o que fazer, então nós dizíamos a outras pessoas o que fazer, e era basicamente um sistema do tipo militar, hierárquico.

Agora, contudo, as coisas são mais complexas e mutáveis – é como a confusão que se estabelece de repente num jogo de futebol em que todos disputam a bola de forma frenética, em vez de dar os passes habituais. Vivemos assim atualmente.

A vida mudou profundamente. E vai continuar mudando cada vez mais depressa à medida que o tempo passar. Uma boa notícia para um líder comprometido em estar cada vez mais alerta.

58. Mostre como se faz

Ouço e esqueço. Vejo e me lembro. Faço e entendo.

Confúcio

É comum ver grandes esportistas serem promovidos a treinadores, mas nem sempre eles obtêm bons resultados. Às vezes demonstram simplesmente que não são muito bons para o cargo.

E há um motivo nada misterioso para isso. Esses esportistas não têm consciência do que os tornou grandes jogadores. Muito do que faziam como jogadores era intuitivo e inconsciente. Por isso têm dificuldade de ensinar aos outros o segredo de seu sucesso, *já que não sabem qual é.*

O melhor treinador de rebatedores de beisebol que já existiu foi Charlie Lau. Ele foi instrutor de George Brett, um dos maiores rebatedores de todos os tempos. Contudo Charlie Lau era, no máximo, um rebatedor medíocre.

Charlie teve de lutar muito para ficar entre os times da primeira divisão e manter o emprego. Com muito esforço, aprendeu a rebater, tornando-se extremamente consciente de como fazer aquilo. Por isso era fantástico para ensinar.

Portanto, quando descobrir qualquer coisa que os membros de sua equipe não estejam executando com a eficiência que você esperava, pegue o bastão com as próprias mãos e *mostre-lhes* como fazer.

Christina queria nossa opinião sobre um problema que estava enfrentando com a equipe.

– Meu pessoal não é muito bom com os clientes – disse ela. – Acho que perdem muitas oportunidades de negócios.

– Diga-nos como gostaria que sua equipe fosse.

– Acho que, se eles falassem com os clientes de um modo diferente, fizessem mais perguntas, se interessassem mais por suas vidas, encontrariam outras áreas em que seriam capazes de ajudá-los. Descobririam um produto ou serviço que pudesse ser útil ao cliente. Em vez disso, meus funcionários apenas vendem coisas, comportam-se como meros recebedores de pedidos, e nossas vendas não estão tão altas quanto poderiam.

– O que você fez a respeito?

– Primeiro, enviei essa opinião por e-mail para toda a equipe, mas isso não surtiu efeito – disse Christina. – Depois liguei para os supervisores e disse: "Quero que vocês levem seu pessoal a fazer mais tal coisa."

– Deu certo?

– Não.

– O que mais você fez?

– Entrei em contato com o RH e disse que precisávamos de

treinamento para melhorar o relacionamento com o cliente e aumentar as vendas.

– Como foi o treinamento?

– Não houve treinamento – respondeu ela. – Ainda estou esperando uma resposta à minha solicitação.

– Christina, faça isso você mesma! Um líder eficaz, que motiva os outros a atingir um desempenho excelente, *mostra como se faz.* Um verdadeiro líder sabe o que quer que a equipe faça, vai até lá e o demonstra.

Vimos quando, mais tarde, Christina falou com sua equipe.

– Hoje vou trabalhar com vocês – disse ela. – Quero falar com os clientes que chegarem. Só quero que me dêem assistência, estejam presentes, ajudem, façam perguntas caso se lembrem de alguma. Mas iremos, eu e vocês, falar com alguns clientes à medida que eles chegarem.

Christina aprendeu a *mostrar* aos seus funcionários como gostaria que agissem. Aquele foi seu novo ponto de partida e, por meio daquela abordagem, seu pessoal se animou e entendeu rapidamente o que fazer.

Se você apenas diz às pessoas "Quero que façam mais do que isso, vocês precisam melhorar naquilo", suas palavras podem entrar por um ouvido e sair por outro, ou até pior. Isso pode fazer com que as pessoas *assumam uma postura defensiva* por não estarem seguindo o que o líder determinou.

Para motivar de fato, fale menos e demonstre mais.

59. Focalize como uma câmera

A maioria das pessoas bem-sucedidas que conheço ouve mais do que fala.

Bernard Baruch

Queremos introduzir aqui um tipo de liderança que encontramos em apenas 1 em cada 10 líderes com que trabalhamos.

Nós a chamamos de *liderança com foco*. É a capacidade do líder de estar absolutamente concentrado. E o que chamamos de concentração não é algo intenso, pesado, como se você estivesse forçando algo. Na verdade, é o oposto. É um senso de foco muito mais relaxado.

Assim, queremos que imagine uma câmera procurando o foco: você está olhando através da câmera e a imagem parece embaçada. Você gira o disco ou pressiona o botão do foco. Basta movê-lo suavemente para um lado ou outro, e de repente todo o quadro entra em foco. O mesmo pode acontecer com sua *perspectiva* de líder.

Por exemplo, quando uma pessoa entrar na sua sala e se sentar, você começará a se concentrar nela da mesma forma que uma câmera focaliza até que ela entre em foco de um modo suave, relaxado e pleno. Então você dirá: "Conte-me o que tem em mente. Está tudo bem? Vamos conversar."

Seu colaborador perceberá esse modo gentil e relaxado de entrar em foco e se sentirá honrado com isso. Ele vai pensar: "É como se houvesse apenas duas pessoas no mundo neste momento. Parece que estamos numa ilha deserta e temos todo o tempo à nossa disposição."

E você estará totalmente aberto, pensando: "Estou ouvindo você. Essa conversa nos conduzirá ao cerne da questão. Vamos trocar idéias, vou lhe fazer perguntas e descobriremos o que pensamos sobre isso. Não vou lhe dizer o que fazer nem tenho um plano secreto. Estou totalmente aberto. Sou como uma câmera.

Aja assim e será um grande líder.

Você já conhece o outro tipo de líder: o que chega às reuniões levando seu palmtop e, enquanto as pessoas estão falando, responde e-mails, atende o celular a cada dois ou três minutos e ainda tenta estar presente à reunião. Ele pensa que executa várias tarefas ao mesmo tempo, mas na verdade não está concentrado. E todos que entram em contato com esse tipo de líder se sentem diminuídos por essa falta de foco.

Conversamos com Richie, que tem um chefe com esse tipo de comportamento.

– Sinto que ele nunca tem tempo para mim – disse Richie. – Parece que preferia não estar falando comigo naquele momento.

Esse "líder" sabe que, em algum nível, todas as 100 pessoas com quem se comunicou naquela semana – por e-mail, fax, telefone, pessoalmente ou andando no corredor – se sentiram desprestigiadas por tal comportamento.

Bem no fundo, o chefe problemático sabe disso. E sente algo desagradável. Precisa acabar com a sensação de que as coisas não vão bem. Mas, em vez de diminuir o ritmo, ele acelera!

Certa vez, eu disse a um gerente que se comportava assim que ele devia usar um aviso pendurado no pescoço.

– Um aviso?

– É, como as pessoas fazem nos centros de tratamento quando tentam resolver uma questão pessoal. O aviso deveria dizer: NÃO TENHO TEMPO PARA VOCÊ.

Ele ficou em silêncio.

– Você também podia enviar uma resposta automática por e-mail dizendo: NÃO TENHO TEMPO PARA VOCÊ.

– Eu jamais faria isso – disse ele.

– Está fazendo isso agora. Está enviando tal mensagem neste momento. Se seguisse a minha sugestão, você apenas faria a coisa de modo mais explícito.

Quando treinamos pessoas a se abrir e se concentrar em seu

pessoal, isso acaba poupando o tempo delas a longo prazo. Administrar uma equipe motivada e confiante requer muito menos tempo do que administrar uma equipe desmoralizada e aborrecida.

60. Administrar é fácil

Considere sempre fácil o que precisa fazer, e será.

Emile Coue, psicólogo francês

Um pensamento é mais do que um pensamento, ele cria a sua realidade.

O papel do pensamento na administração de pessoas e resultados não pode ser subestimado. A maneira como você *encara* o seu trabalho é mais importante do que qualquer suposta "realidade" interpretada sobre o seu trabalho.

Se achar que motivar pessoas é difícil, será difícil. Não há nenhuma diferença. Como disse Shakespeare: "Não há nada bom ou ruim; o pensamento é que faz parecer uma coisa ou outra."

Se você pensar que é difícil e desconfortável falar ao telefone, então será. Se acreditar que está feliz e relaxado falando ao telefone, então ficará.

É importante ver o poder do pensamento no mundo da liderança. Se seus pensamentos o põem para baixo, você não vai se relacionar bem com as pessoas. A liderança requer altos níveis de humanidade: para sermos grandes líderes, precisamos compartilhar nossa humanidade.

A chave para se tornar um líder bem-sucedido em motivar os outros está no seu pensamento. Napoleon Hill, em seu livro *Pense e enriqueça*, dizia que se imaginar numa posição perfeita é o primeiro passo para ser bem-sucedido. Várias pessoas seguiram suas instruções e chegaram lá. Também somos capazes de fazer isso. É fácil? Pode ser. Pois como disse o celebrado filósofo Coue: "Considere sempre fácil o que precisa fazer, e será."

Tenha certeza de uma coisa: nunca será mais difícil do que você pensa.

61. Tranqüilize sua equipe

Nas organizações, o verdadeiro poder e a verdadeira energia são gerados pelos relacionamentos. Os padrões de relacionamento e a capacidade para construí-los são mais importantes do que tarefas, funções, papéis e posições.

Margaret Wheatley, consultora em administração

Um das coisas mais valiosas que um líder pode fazer é tranqüilizar as pessoas, demonstrar confiança no trabalho delas.

Você nunca irá ouvir algo a esse respeito em um seminário sobre administração, o que é lamentável, pois não há nada mais motivador do que uma dose saudável de tranqüilização.

Quantos livros sobre liderança focalizam isso? Nenhum. Que importância isso tem como instrumento de administração? Esse, simplesmente, é o recurso mais importante.

Quantas vezes durante o dia você se pergunta: "Até que ponto eu fui capaz de transmitir calma naquele diálogo?" Quantas vezes antes de uma conversa você questiona: "Como posso demonstrar confiança nessa pessoa, de modo que ela saia tranqüila e certa de que tudo vai ficar bem e de que tem as ferramentas necessárias para fazer esse trabalho?"

Se você integrar a *tranqüilização* ao seu sistema pessoal e à sua abordagem administrativa, as coisas mudarão em sua equipe. O estado mental dos funcionários será alterado para melhor.

As pessoas querem ser tranqüilizadas por seu líder. E a verdade é que não conseguem o que querem na maior parte do tempo. Muito pelo contrário. Elas têm a impressão de que estão sempre correndo sob a mira de uma arma. O comportamento e a linguagem corporal do chefe indicam que está tudo atrasado, *é preciso* correr e "isso aqui está uma loucura".

O problema com tal mensagem é que torna impossível a tranqüilidade. Quando o chefe traz o caos à tona e transmite uma mentalidade de crise, não está acalmando ninguém.

Para contrabalançar tudo isso, trilha o caminho oposto: o da tranqüilização. Coloque esse conceito no topo de sua lista.

62. Pare de discordar

> *A melhor maneira de ter uma boa idéia é ter uma porção de idéias.*
>
> Linus Pauling, cientista americano e Prêmio Nobel

Quando você estiver ouvindo alguém numa reunião ou numa conversa cara a cara, uma das melhores coisas que pode fazer é parar de discordar.

Procure se esforçar para ouvir as palavras do outro apenas por ser o que ele tem a dizer, e não porque você precisa saber se concorda ou não com seu ponto de vista, pois toda vez que discorda de um colaborador isso o deixa num estado de ânimo pior do que estava antes.

Se discordo constantemente de você, o que irá fazer? Começará a se defender, não é? Todos os seres humanos fazem isso.

Se você vai discordar de um funcionário, aceite as conseqüências. A principal delas é deixar o outro "pra baixo". E, com isso, ele não vai fazer um ótimo trabalho. As pessoas não têm um bom desempenho quando estão sem ânimo. A energia delas vai embora.

No entanto, se você tivesse escutado para demonstrar que valoriza a opinião do seu colaborador, em vez de discordar dela, o estado de ânimo dele seria bom depois da conversa. Na verdade, tentar ouvir o que as pessoas têm a dizer, em vez de escutar apenas para ver com o que concorda, é um recurso extremamente motivador. Você pode influenciar toda uma equipe fazendo com que sua política pessoal como líder seja ouvir pelo simples fato de aquelas palavras transmitirem a opinião de alguém.

A maioria dos chefes não age dessa forma. Eles deixam alguém falar e então dizem: "Não, isso não está certo. Não concordo." Depois se espantam com o fato de o colaborador passar a se sentir subvalorizado.

Será que alguém pensa: "Ótimo, você me considera um imbecil. Agora estou pronto para trabalhar com afinco. Estou me sentindo um idiota. Vamos lá!"

Toda vez que você discordar vai desafiar alguém e fazer com que se sinta incapaz, e a conseqüência é a falta de ânimo. É claro que às vezes é preciso discordar. Mas quanto menos você fizer isso, mais eficiente será a equipe e mais motivada ela se tornará.

63. Continue aprendendo

Líderes se desenvolvem; não nascem prontos.

Peter Drucker

Deixe os outros verem que você está em pleno processo de aprendizado. Não exiba uma atitude de "sabe-tudo" o tempo todo.

Deixe que saibam que você é uma obra em progresso. Assim será mais fácil para eles chegarem até você com boas idéias.

Por insegurança, a maioria dos chefes tenta continuamente dar a impressão de saber tudo. Eles nunca vão a seminários e tratam com desprezo o último lançamento sobre teoria da administração. Essa atitude, porém, acaba desmoralizando os que a adotam.

Todos nós aprendemos algo novo sobre nossa profissão a cada dia. Pouco a pouco, podemos ampliar a base de nosso conhecimento. Com isso, nossa força profissional e nossa capacidade de ajudar os outros aumenta.

Felicidade é crescimento. Somos felizes quando estamos crescendo e nos desenvolvendo. E pessoas felizes são mais motivadoras do que pessoas infelizes.

64. Saiba o que não é liderança

Os grandes líderes são como os melhores maestros: vão além das notas para alcançar a magia nos músicos.

Blaine Lee, consultor em administração

Os chefes cometem um grande erro quando se tornam autoritários. Frisar o tempo todo que "quem manda sou eu" é um sinal claro de insegurança.

Você pode ser decidido e corajoso, e insistir para que as pessoas assumam suas responsabilidades sem jamais ser agressivo ou mandão.

Dee Hock, fundador e presidente emérito do Visa International, colocou a questão da seguinte forma: "Controle não é liderança; administração não é liderança; liderança é liderança. Se você quer ser líder, invista no mínimo 50% do seu tempo liderando a si mesmo – seus próprios objetivos, ética, princípios, motivação, conduta. Invista pelo menos 20% liderando os que têm autoridade sobre você e 15% liderando seus pares. Se você não entende que trabalha *para* seus supostos 'subordinados', então não conhece nada sobre liderança. Conhece apenas tirania."

São palavras fortes para os manda-chuvas que nada conhecem da natureza humana, especialmente nos dias atuais. Uma equipe é composta de pensadores, não de meros robôs. O velho estilo de poder militarista está ultrapassado. Não é mais considerado liderança.

Os líderes de hoje descobrem a magia em seus músicos.

65. Ouça seu pessoal

Eu me divirto mais e tenho mais sucesso financeiro quando paro de tentar obter o que quero e começo a ajudar os outros a obter o que querem.

Spencer Johnson

Como saber que tipo de líder você é?

Há um modo bem rápido de se descobrir isso: pergunte às pessoas da sua equipe. Elas sabem, e o que dizem é verdadeiro. Você é quem *elas* dizem que você é.

Portanto, ouça seu pessoal! Procure entender seus funcionários. Os indivíduos são altamente motivados por quem os ouve, gente como você, que percebe quais são os problemas deles. Seja sempre atencioso.

Nas palavras do monge budista Thich Nhat Hanh:

> "Quando somos atenciosos, notamos que o outro sofre. Se uma pessoa sofre, precisa falar com alguém a fim de obter alívio. Devemos oferecer nossa companhia e ouvir atentamente. Esta é a prática do amor: ouvir atentamente. Mas, se estamos cheios de raiva, irritação e preconceitos, perdemos a capacidade de ouvir com atenção aqueles a quem estimamos. Se estes não conseguirem se comunicar conosco, sofrerão mais. Aprender

como ouvir atentamente é nossa responsabilidade. Somos motivados pelo desejo de aliviar o sofrimento. É por isso que ouvimos. Precisamos ouvir com todo o nosso coração, sem intenção de julgar, condenar ou criticar. E, se ouvimos desse modo por uma hora, estamos praticando o amor verdadeiro. Não precisamos dizer nada: basta ouvir."

Para ajudar os membros de sua equipe a conseguir o que querem, seja atencioso e escute-os até descobrir o que eles realmente desejam. Então, faça os objetivos deles se ajustarem aos da equipe. Mostre o vínculo a cada um. É assim que a motivação a longo prazo acontece de fato.

66. Não leve a vida tão a sério

O instinto de liderança com que nascemos é a coluna vertebral. Depois desenvolvemos o osso do humor e o osso da sorte, que estão ligados a ela.

Elaine Agather, presidente do banco JPMorgan

As pessoas mais motivadas com quem trabalhamos não se levam muito a sério.

Já as mais esforçadas encaram a próxima meta da companhia com a mesma seriedade com que pagam o financiamento da casa própria ou tentam manter seu casamento.

Os gerentes mais criativos, produtivos e inovadores vêem os negócios como uma partida de xadrez, jogada pela diversão e pelo desafio. Imaginam todo tipo de movimento e estratégia interessante. E, quando "perdem", simplesmente arrumam as peças de novo, até mais animados do que antes.

As pessoas mais infelizes no trabalho e que amargam os

maiores fracassos são as que levam tudo excessivamente a sério. Sombrias, desestimuladas e desgostosas, usam apenas 10% do cérebro o dia inteiro. Vivem ressentidas e preocupadas.

As pessoas extremamente sérias perdem a diversão, a criatividade, as idéias descontraídas, a intuição, o estado de ânimo elevado, a energia fácil e o riso rápido que aproxima os seres humanos. Portanto, não é de espantar que falhem no que estão fazendo.

Sempre que levamos algo muito a sério, descobrimos maneiras de fugir daquilo de forma sutil e inconsciente o tempo todo. Secretamente, somos como crianças. Resistimos à seriedade.

Um dos mais respeitados estudiosos da liderança organizacional nos dias de hoje é o americano Warren Bennis. Em seu livro *A formação do líder*, ele ressalta a diferença entre um líder e um gerente: "O líder inova; o gerente administra. O líder se concentra nas pessoas; o gerente enfoca os sistemas e a estrutura. O líder inspira; o gerente controla; o líder é dono de sua própria individualidade; o gerente é um bom soldado. O líder vê a longo prazo; o gerente, a curto prazo."

G. K. Chesterton disse que os anjos só conseguem voar porque se encaram com leveza. Podemos dizer o mesmo dos líderes.

67. Cumpra as pequenas promessas

As grandes realizações não são feitas por impulso, e sim por meio de uma série de pequenas coisas reunidas.

Vincent van Gogh

Somos motivados pelas pessoas em quem confiamos.

Não é muito difícil obter a confiança de sua equipe. Você pode e deve conquistá-la, pois motivar as pessoas é essencial.

Logo, nunca chegue atrasado às suas próprias reuniões. Nunca. Uma coisa dessas destrói toda a confiança que você estabeleceu, porque as pessoas ficam com a impressão de que não podem contar com você e de que você não tem palavra.

Depois de trabalhar com Jeff por algum tempo, notamos que ele não estava cumprindo nenhuma de suas "pequenas" promessas e explicamos que isso minava a confiança que a equipe depositava nele.

– Ora, não é nada de mais! – disse Jeff. – Estou um pouco atrasado... me esqueci de conseguir um reembolso de estacionamento para alguém. E daí? Estou preocupado com o panorama geral, não com detalhes.

– É a sua palavra, Jeff. Se não pode mantê-la para pequenas coisas, ninguém vai confiar nela para as de grande importância.

– Bem, o que devo fazer? – perguntou ele. – Devo me tornar alguém que não sou? Fazer um transplante de personalidade?

– Você só precisa fazer tudo o que diz que vai fazer. Se disser "Eu ligo para você amanhã", precisa ligar. Se disser "Vou conseguir os documentos até sexta-feira", deve mover céus e terras para consegui-lo. Isso é tudo. A confiança é conquistada não apenas por meio das grandes coisas, mas muito mais por meio das pequenas coisas. Muito mais!

68. Dê poder aos outros

Quando estou me preparando para convencer alguém, passo um terço do tempo pensando sobre mim mesmo, o que vou dizer, e dois terços do tempo pensando sobre a pessoa e o que ela vai dizer.

Abraham Lincoln

Quando estou numa posição de liderança, tenho que lidar com o temor oculto da pessoa que lidero e com a qual estou prestes a falar.

Se eu não compreender esse medo, vou ter um trabalho árduo estabelecendo acordos com aquele colaborador. E motivação é sobretudo estabelecer acordos.

Meu objetivo é fazer minha equipe concordar em trabalhar comigo. Talvez eu deseje que as pessoas concordem comigo para que seu desempenho seja mais eficaz, ou para que façam uma tarefa que acho que precisa ser feita, ou para se comunicarem comigo de modo diferente, ou para tratar o cliente de outra forma. Em todos esses casos, preciso de um acordo.

Mas há um motivo que pode fazer com que o funcionário tente me atacar ou discordar de tudo o que proponho. É o medo. Quando entendo isso, consigo estabelecer acordos muito mais rapidamente.

Minha estratégia deve ser sempre buscar maneiras de eliminar o medo. A questão central é: como criar um acordo sem fazer o outro acionar os botões do medo ou atacar em autodefesa? Fazendo perguntas, pois as perguntas valorizam os pensamentos e as emoções alheias.

Quando as pessoas temem perder poder, elas atacam (fazem objeções e assumem uma postura defensiva). Isso dá a impressão de força!

Na verdade, é *medo.*

As pessoas não querem ser convencidas das idéias alheias, *elas querem convencer os outros das suas próprias idéias*. Querem que a *idéia* de fazer tal coisa seja delas, não sua. Esse é o segredo da motivação.

Digamos que você gostaria que um de seus colaboradores concluísse seus projetos mais rapidamente. Se disser: "Olha, preciso falar com você. Não tenho recebido seus projetos no prazo." Sabe o que vai acontecer?

Postura defensiva e medo: "Eu não tinha condição alguma de entregar no prazo porque estou cuidando de mil outros trabalhos. Aliás, acho que me saí muito bem, levando-se em conta o que estava acontecendo nesse escritório."

Seu funcionário defende o que aconteceu por medo de ser julgado como incompetente ou até de ser demitido por não ter concluído o projeto a tempo. E tudo o que você fez – o único erro que cometeu – foi ter colocado a questão de um modo agressivo.

Se você não tem noção desse medo, provavelmente vai continuar a pressioná-lo, fazendo-o acionar mais botões em reação ao medo.

E quanto mais na defensiva um funcionário ficar, menor será a probabilidade de ele entregar os projetos a tempo na semana seguinte, exatamente o que você queria pedir a ele. Na verdade era só o que queria, mas você mesmo acabou tornando impossível que a tarefa fosse cumprida.

Essa dinâmica muito humana de contra-atacar desafia casamentos, atrasa carreiras e inferniza a vida de um chefe.

O que um líder pode fazer é perguntar gentilmente e deixar que os liderados pensem, falem e assumam eles mesmos novos compromissos. É assim que funciona a motivação.

69. Não se esqueça de respirar

Tanto na guerra como na paz, precisamos usar toda a capacidade do nosso cérebro. Um cérebro só funciona com oxigênio. O oxigênio vem dos pulmões, que recebe o ar que respiramos. O oxigênio do ar penetra no sangue e vai para o cérebro. Qualquer tolo pode dobrar a capacidade de seus pulmões.

George Patton

A respiração desempenha um importante papel na conquista do sucesso.

Scott aprendeu isso observando seu professor de música, Rodney Mercado. "Quando Mercado tocava um instrumento, ele fazia as inspirações mais fundas e extraordinárias que já vi um ser humano fazer. Ele nunca mencionou isso, mas imaginei que, se funcionava para ele, também serviria para mim. Desde então aprendi como a respiração é importante para a energia, o foco e a concentração."

Scott acredita que eram a energia e a *intensidade* colocadas na performance que produziam o resultado capaz de emocionar o público.

Como líderes, nossa energia e nossa intensidade são monitoradas pelas pessoas. Elas extraem muitas pistas da forma como nos apresentamos, de nossos movimentos e expressões (ou da falta deles).

É por isso que precisamos aprender a respirar profundamente e liderar. Para chegar lá, agir com entusiasmo, gerar estímulo e respirar de novo, ainda mais profundamente.

Não queremos ficar parados o dia todo, respirando superficialmente em frente ao computador. Isso não inspira ninguém.

70. Saiba que você tem tempo

Comece fazendo o que é necessário, a seguir o que é possível e de repente estará fazendo o impossível.

São Francisco de Assis

A maioria dos gerentes faz pequenas coisas o dia inteiro. Eles começam o dia fazendo tudo o que é fácil. Verificam várias vezes seu e-mail. Perguntam-se subconscientemente: "Quais são as pequenas tarefas que posso executar com facilidade? O que há para ser feito que me fará parecer um gerente enquanto vejo o que realmente precisa ser feito?".

Um líder motivador, no entanto, tem a capacidade e a oportunidade de levar a vida de modo diferente, escolher racionalmente suas prioridades e não se deixar levar pelas emoções.

A chave é ir com calma.

O que trabalha contra isso é a noção de que o tempo está se esgotando, de que não há tempo suficiente em um dia. Mas você deve se ater ao seguinte fato: todos temos 24 horas. Não importa quão rico ou poderoso você seja, só terá 24 horas. Nem um minuto a mais.

O sol se ergue e se põe para todos da mesma forma. E assim não há sentido em dizer: "Não tenho tanto tempo quanto as outras pessoas. Eu adoraria fazer isso, mas não tenho tempo." Isso simplesmente não é verdade.

Só você pode desacelerar o tempo, ajustando-o à velocidade da vida: basta escolher o que fazer. Quando o fizer, ficará muito mais fácil motivar e ensinar os outros a fazer o mesmo.

71. Use o poder dos prazos

A melhor maneira de prever o futuro é criá-lo.

Peter Drucker

Estabeleça um limite de tempo para suas solicitações.

Se precisar receber um relatório de um colaborador, finalize seu pedido com a seguinte pergunta: "Você pode me entregar isso na quinta-feira, no fim do dia?"

Prazos impelem à ação. Portanto, quando você quiser que as pessoas entrem em ação, dê um prazo a elas. Se fizer uma solicitação sem incluir uma data de entrega, você não terá como cobrar depois. Ao não definir o prazo, você tem apenas uma ação "que deseja" e "que espera ver cumprida" pendendo no espaço. As pessoas só são motivadas quando usamos *ambos* o espaço e o *tempo.* O contínuo espaço-tempo é o melhor amigo do motivador.

Certa vez escrevíamos preguiçosamente um livro quando o editor telefonou impondo o prazo de um mês a contar daquele dia. O livro tinha de ser lançado o quanto antes para aproveitar as vendas natalinas. Passamos a nos dedicar 20 horas por dia ao livro até entregarmos o manuscrito final ao nosso editor. Foi o melhor livro que já escrevemos.

Sem um prazo, não há objetivo, apenas uma solicitação nebulosa que se acrescenta à confusão geral em andamento. Você fará um favor à pessoa impondo um limite de tempo à sua solicitação. Se o tempo for curto demais, a pessoa poderá negociá-lo. Deixe o seu pessoal participar. Não é uma questão de *quem* estabelece o prazo; a questão é delimitar um prazo. Parta de quem partir, ele deve ser estabelecido clara e completamente.

A maioria dos gerentes não faz isso. Eles têm centenas de solicitações pendentes flutuando pelo local de trabalho simplesmente porque não foram priorizadas e continuam sendo adiadas.

Estabeleça prazos e tudo será resolvido.

72. Transforme preocupação em interesse

As dificuldades existem para estimular, não desencorajar.

William Ellery Channing, pastor e psicólogo americano

Os líderes não ajudam ninguém ao se preocuparem.

A preocupação é o mau uso da imaginação.

Pratique elevar sua preocupação ao nível do interesse e crie um plano de ação para lidar com ele.

Se respondermos aos problemas nos preocupando com eles, comprometeremos nosso estado de espírito e nossa energia e baixaremos nossa auto-estima. Ser um indivíduo *preocupado* dificilmente é um conceito positivo para si mesmo. Também não é inspirador para os outros ver seu líder preocupado.

Em vez de se preocupar, imagine alguma atitude que você pudesse tomar agora, algo audacioso e bonito inspirado pelo suposto "problema" atual. Desenvolver esse hábito eleva a auto-estima, aumenta os níveis de energia e também o amor pela vida.

As pessoas são mais motivadas por gente apaixonada pela vida do que por gente preocupada.

73. Deixe a mente dirigir o coração

Se você não pensar no futuro, não terá um.

Henry Ford

Os gerentes que abordam a vida como se ainda fossem crianças – ou como adultos lidando com as questões mal resolvidas na infância – não serão capazes de se concentrar nos funcionários, nos clientes ou na busca pela prosperidade.

A liderança exige que o lado esquerdo do cérebro, lógico e solucionador de problemas, esteja chefiando o lado direito. Exige um intelecto implacável desejando perseverar contra todas as queixas (reais e imaginárias) de seu pessoal. Exige vibração ao descobrir um novo caminho para as soluções.

A liderança exige que o mestre de xadrez em você esteja no comando dos processos de pensamento e tomada de decisões durante o dia inteiro.

Ser um líder se resume a tomar decisões claras e inteligentes quanto a onde e como você deve gastar seu tempo a cada dia. O grande mestre de xadrez Kasparov vive segundo este lema: "Pense sete lances à frente."

Intelectualmente, motivar os outros tem a ver com engenharia reversa. Você decide o que quer, e então pensa de trás para a frente a partir dali. Começa no fim e planeja a engenharia de trás para a frente até chegar ao momento atual. Tenha sempre o fim em mente quando abordar sua equipe ou quando der determinado telefonema.

Os melhores motivadores são os mais conscientes acerca do que estão fazendo. Estão sempre pensando, e seu pessoal os admira por isso.

Aproveite aquele tempinho na volta para casa para refletir. Pense no que mais gostaria que acontecesse se você fosse um membro de sua própria equipe. Pense em modos de se conectar e ganhar confiança. Pense. Pense naquele toque extra, na comunicação que deseja estabelecer. Pense nas perguntas que quer fazer.

Pense como um detetive. É um crime que seu funcionário não esteja usando o máximo do próprio potencial. É um crime que ele esteja pensando em deixar a empresa.

Solucione esse crime.

74. Implemente a cultura do reconhecimento

Eu sempre disse que, se fosse rico, contrataria um elogiador profissional.

Osbert Sitwell, poeta inglês

A melhor maneira de motivar os outros é mudar a pergunta que você faz a si mesmo todo dia. Em vez de "Como fazer com que eles me aborreçam menos?", você pode mudá-la para "Como fazer com que eles se empenhem mais?".

A maioria dos gerentes descobre o que está errado e faz críticas. Tenta localizar os problemas e diz: "Sabe, nós não podemos fazer a coisa desse modo. Você precisa consertar isso. Ainda não está bom."

Essa abordagem, porém, gera ressentimento. Reconhecimento, agradecimento e valorização funcionam muito melhor, independentemente da maneira como são expressos.

Portanto, quando estou a caminho do trabalho, digo a mim mesmo: "Vou construir uma cultura do reconhecimento, de modo que as pessoas sintam que foram reconhecidas por cada pequena coisa que fizeram. Elas vão se sentir visíveis, valorizadas e vão perceber que a liderança é grata a elas. Quero que saibam que o que fazem está sendo observado, considerado e festejado. É essa a cultura que irei implementar para melhorar a produtividade."

Sempre que puder, vou elogiar as pessoas em público. Se possível, na frente de suas famílias. Talvez eu envie um prêmio ou um bilhete do presidente da empresa para a casa do funcionário. Quero que seus familiares saibam como ele é valorizado.

75. Assuma a responsabilidade

Noventa e nove por cento dos fracassos acontecem com pessoas que têm o hábito de se justificar.

George Washington Carver

– Eu certamente gostaria que os colegas assumissem mais responsabilidade por aqui! – disse um dos advogados da firma de Scott. – Parece que as pessoas que estou chefiando estão sempre brincando de passar a "batata quente" umas para as outras.

– Você já falou com elas sobre o que é responsabilidade? – perguntou Scott.

– Na verdade, não – disse o advogado.

– Então vamos fazer um joguinho de palavras por um segundo. Eu direi algo e você me dirá a primeira palavra que lhe vier à mente. Está bem?

– Vamos lá.

– Isso será útil. Eu prometo.

– O.k.

– Quando você ouve o termo *responsabilidade*, qual é a primeira palavra que lhe vem à mente?

– Obrigação – disse o advogado.

– Ótimo – disse Scott. – Agora vamos destrinchar a palavra responsabilidade. Literalmente, significa a capacidade de responder, de fazer algo. Responsável é alguém capaz de responder. Nada mais nada menos. Responsabilidade não tem nada a ver com obrigação nem com as palavras negativas associadas a ela, como fardo, dívida, falta e assim por diante. Se você quer que sua equipe assuma responsabilidades, precisa deixar claro que isso não tem nenhuma conotação negativa. Diga ao seu pessoal que você acredita neles. Que sabe que são capazes de responder a esse desafio e que você está dando seu apoio irrestrito a eles.

Steve Hardison, um dos nossos consultores associados, foi

convidado a participar da reunião do conselho de uma empresa para a qual daria um treinamento. O primeiro item da pauta era: "Quem é o culpado de termos um sistema de informática que nos custou 100 mil dólares e que é simplesmente um lixo?"

O presidente virou para um dos vice-presidentes e disse:

– Joe, a culpa é toda sua!

Joe respondeu rapidamente:

– Não é, não. Eu não escolhi as especificações. Quem fez isso foi o John!

– Ei, espere um minuto – disse John. – Eu não escolhi o fornecedor. Quem fez isso foi a Rose.

– Não foi bem minha decisão – justificou-se Rose. – Eu apenas o recomendei a você!

E assim as pessoas na reunião do conselho simplesmente passaram a "batata quente" adiante pela sala inteira.

Então Hardison fez um gesto para o presidente e interrompeu a conversa.

– Eu sou o responsável pelo sistema de informática – anunciou Hardison.

– O quê? – retrucou o presidente. – Nem sequer sabemos quem você é! Por que está dizendo uma coisa dessas?

– Bom – disse Hardison –, alguém precisa ser responsável!

– Ah, sim – concordou o presidente.

Uma vez que Hardison assumira a responsabilidade pelo sistema de informática, ele pôde liderar a discussão sobre como ir adiante e resolver o problema. Essa é a verdadeira *capacidade* de responder, bem diferente da responsabilidade que é entendida como pôr a culpa em alguém.

Outro de nossos consultores começou como vendedor numa firma de alta tecnologia. Em menos de dois anos virou diretor executivo. Quando lhe perguntaram como conseguira aquilo, ele respondeu: "Eu me considerei *dono da empresa* desde o primeiro dia. Se via um pedaço de papel no chão, eu o recolhia ou pedia que alguém o recolhesse. Se havia um departamento que não estava funcionando, eu tentava resolver o problema, mesmo que não tivesse nada a ver com minha função. Depois de um tempo, fui convidado para ser diretor executivo, mas eu já assumira a responsabilidade pela empresa muito tempo antes."

Assim, se você quiser ser o diretor executivo algum dia, comece assumindo 100% da responsabilidade a partir deste momento. Nada motivará tanto seu pessoal.

76. Obtenha treinamento também

A influência de um professor é eterna. Nunca se pode prever o seu alcance.

Henry B. Adams, historiador americano

Os grandes instrutores sempre citam os professores com quem aprenderam o que sabem. No ambiente atual, a maioria dos grandes líderes empresariais (70% de acordo com as pesquisas) conta com a ajuda de treinadores ou consultores para alcançar os mais altos níveis de sucesso.

O objetivo do processo de treinamento é permitir ao líder descobrir pontos fortes ainda ocultos e trazê-los para a linha de frente no dia-a-dia dos negócios.

Todo ator, bailarino ou atleta bem-sucedido credita a maior parte do progresso de sua carreira a um professor que lhe deu apoio ao longo do caminho. No passado, nossa sociedade exaltava o conceito de treinamento nos esportes e no meio artístico, campos em que a excelência sempre foi almejada. O mesmo não acontecia no mundo empresarial: negócios eram apenas negócios.

Atualmente, por causa da popularização dos treinamentos, o

líder empresarial tem a mesma oportunidade de explorar os limites de sua excelência que um ídolo do esporte ou um ator.

Por isso, se você é um líder, esteja sempre aberto a aprender coisas novas. Não há vantagem alguma em caminhar sozinho apenas para provar que pode fazê-lo.

77. Faça acontecer hoje

Que utilidade teria a imortalidade para quem não sabe utilizar 30 minutos com eficiência?

Ralph Waldo Emerson

A capacidade de motivar os outros advém da importância que damos ao dia de hoje.

O que podemos fazer *hoje?*

John Wooden foi o treinador de basquete universitário mais bem-sucedido de todos os tempos. O time que treinou na UCLA (Universidade da Califórnia, em Los Angeles) conquistou 10 campeonatos nacionais em 12 anos. Wooden extraiu grande parte de sua filosofia de vida e de treinamento de uma idéia – uma única frase que ouviu de seu pai quando era menino: "Faça de cada dia sua obra-prima."

Enquanto outros treinadores procuravam preparar seus jogadores para jogos importantes no futuro, Wooden sempre focalizava o dia atual. Suas sessões de treinamento na UCLA eram tão importantes quanto qualquer jogo de campeonato. Em sua filosofia, o hoje deveria ser sempre motivo de orgulho. Não havia razão para não se aplicar no treino tão arduamente quanto no jogo. Ele queria que todos os jogadores fossem para cama à noite pensando: "Hoje tive o meu melhor desempenho."

A maioria de nós, porém, não quer viver dessa forma.

Acreditamos que nossa felicidade está no futuro e que a origem de nossos problemas está no passado. Por isso, vivemos com a cabeça ou no passado ou no futuro. Mas a vida só acontece no momento presente, no agora. A liderança também.

A chave para liderar os outros está na disposição de fazer coisas importantes *agora*. Hoje é a sua vida inteira em miniatura. Você "nasceu" quando acordou, e vai "morrer" quando for dormir. Foi tudo organizado dessa forma para que você pudesse viver a sua vida inteira num dia.

Depois disso, você ainda vai continuar dizendo à equipe que está tendo um dia ruim?

Quando seus colaboradores virem você fazendo de cada dia sua obra-prima, irão buscar inspiração nesse modo de viver e trabalhar.

78. Conheça a força interior

Sua visão só se tornará clara quando você puder olhar para dentro de seu próprio coração. Quem olha para fora apenas sonha; quem olha para dentro sonha e desperta.

Carl Jung

Scott estudou kung fu em Taiwan, e seu instrutor lhe ensinou sobre as forças internas presentes em todo ser humano que podem ser acionadas para a realização de grandes feitos. Scott acredita que seu treinamento em artes marciais exerce uma poderosa influência em sua carreira como advogado e consultor.

Certa vez, Scott foi assistir a uma demonstração de kung fu com um amigo faixa preta de caratê. Seu amigo ficou impressionado ao ver os mestres apagarem três velas com um movimento em câmera lenta, em que moviam o punho na direção das chamas e as apagavam de uma distância de pelo menos 30 centímetros.

– Como é que eles fazem isso? – o amigo admirou-se. – No caratê, um de nossos testes é apagar a chama de uma vela com um chute forte, mas podemos nos aproximar da chama quanto quisermos. É fisicamente impossível fazer isso de uma distância de 30 centímetros, mesmo com o chute mais forte que consigo dar. Como é que esses caras conseguem com um golpe em câmera lenta?

– Bem – Scott respondeu –, isso se baseia em algo chamado *ki*. Em qualquer atividade que envolva um corpo físico, você pode praticar uma versão da arte marcial do aikido. Os princípios básicos do *ki* incluem se concentrar num ponto determinado e pensar sobre isso. No aikido, aprendemos que, ao focar a atenção nesse único ponto, situado a uns 5 centímetros abaixo do umbigo, automaticamente ficamos centrados. Podemos fazer isso numa reunião de equipe, numa conversa cara a cara para avaliar o desempenho de alguém.

O instrutor de aikido costuma fazer uma demonstração em que pede ao aluno para se concentrar em seu ponto único. Depois ele pressiona o peito do aluno, que não sai da posição porque está muito centrado e forte. Então ele dá um tapa no alto da cabeça do aluno enquanto empurra seu peito com a outra mão. O aluno imediatamente cai para trás.

O que aconteceu? Quando o aluno tomou consciência do ponto único, o professor não conseguiu empurrá-lo. Mas, quando recebeu um tapa na cabeça, o aluno desviou sua atenção, permitindo que o professor o empurrasse sem fazer esforço.

Scott fez essa demonstração para o pai dele – o maior cético do mundo:

– Deve haver uma explicação para isso – disse o pai de Scott.

Mas não há. É tudo uma questão de concentração. Essa é a diferença entre estar ancorado, centrado e forte, e perder o foco.

A maioria dos profissionais não está centrada, por isso praticamente qualquer coisa que surgir em suas vidas vai desequilibrá-los, tirá-los do centro.

Como líder, você deve ser o modelo de pessoa centrada. Irradiar a força impassível da vida, o *ki* dentro de cada um. Em seu próximo desafio gerencial, tente relaxar e permitir que uma força maior que você flua através de seu ser. E não tardará muito para que você também seja uma lenda viva em sua organização apenas por ser centrado.

79. Não pense no fracasso

Uma vida cheia de erros não só é mais honrada como também mais útil do que uma vida passada em branco.

George Bernard Shaw

Os líderes de equipes altamente produtivas, sobretudo no início da carreira, ficam obcecados com o fracasso. Costumam levar todos os problemas para o lado pessoal. Uma conversa difícil com um funcionário pode deixá-lo magoado, deprimido, zangado e fazê-lo detestar a profissão.

Em pouco tempo, porém, percebem que o fracasso é apenas um resultado. Não é ruim nem bom, é simplesmente neutro. Pode ser transformado em algo bom caso se obtenha alguma sabedoria com ele. E pode ser transformado em algo ruim se encarado de modo pessoal.

S. I. Hayakawa, o grande professor de lingüística, dizia que há basicamente dois tipos de pessoa: a que falha em algo e diz "Fracassei" e a que falha em algo e diz "Sou um fracasso". A primeira pessoa está em contato com a realidade, a segunda não.

A afirmativa "Sou um fracasso!" pode soar como uma triste

forma de auto-aceitação. Na verdade, esse exagero pode ser considerado uma confissão sincera: "Por que não assumir de uma vez? Eu sou um fracasso."

Em termos psicológicos, porém, o que se está ouvindo é a voz do medo. É o oposto da voz do propósito. É uma voz de rendição, de derrota interna: desistir antes de começar. A derrota e o fracasso, vistos externamente, podem na realidade ser restauradores e rejuvenescedores. O grande treinador de futebol americano Woody Hayes costumava dizer: "Nada limpa mais a alma do que sofrer uma grande derrota."

Quando você for exercer suas funções de liderança hoje, tenha em mente este fato real: não há nada de errado com os membros da sua equipe. Eles são dotados de tudo que precisam para prosperar e atingir a excelência como profissionais. Atenha-se a essa verdade e mostre a eles como jogar as idéias de "Sou um fracasso" no lixo, que é o lugar onde elas devem ficar.

80. Depois da consultoria, entre em ação

Ação é eloqüência.

William Shakespeare

Scott é advogado há mais de 20 anos, teve uma firma própria por 17 anos e chegou a ser dono de outro escritório de advocacia. Neste momento, ele tem 15 colaboradores e treina outros advogados e executivos.

– Na minha mente – diz Scott –, não há essa divisão de que uma coisa é ser instrutor e outra é atuar como diretor da empresa. Acho que a perspectiva de quem está sentado na direção é extremamente valiosa. Como já atuei nos dois papéis, treinei e fui treinado, sei que um treinador pode ser inestimável para um executivo. Mas, se a pessoa na posição de liderança não quiser, por qualquer motivo, receber o treinamento, o esforço terá sido em vão.

Os diretores executivos são as pessoas mais importantes numa organização porque podem escolher fazer as coisas acontecerem ou não. O treinador não tem uma varinha de condão e não pode modificar o que quiser, passando por cima da decisão dos executivos. Não funciona assim. De fato, o treinador pode apenas lançar uma luz e observar. É sempre a disposição do líder em gerar a ação que faz a verdadeira diferença. Assim, se você está recebendo treinamento, acompanhe as sugestões que ouvir com ação. Ação intensa.

81. Crie uma visão

> *A razão pela qual a maior parte dos objetivos não é atingida é que gastamos o nosso tempo fazendo primeiro as coisas secundárias.*
>
> Robert J. McKain

Se você não criar uma visão do que sua equipe deseja, viverá ao sabor dos problemas.

Sem objetivos, seu pessoal vai apenas apagar incêndios, superar crises e se preocupar com o comportamento problemático. Você mesmo, como líder, vai atrair uma existência baseada em problemas. Em breve, vai acabar fazendo somente o que *tem vontade* de fazer, subestimando seu potencial.

Quando os indivíduos *criam*, utilizam uma parte maior do cérebro, atingindo seu funcionamento mais elevado como seres humanos. Portanto, sua tarefa primordial como motivador é criar uma visão de quem você e sua equipe desejam ser, para, então, viverem dentro desse quadro como se ele já estivesse acontecendo.

E tem de ser uma visão sobre a qual se possa falar todos os dias, não uma frase emoldurada na parede com a qual ninguém consiga se identificar. Não é de espantar que uma das maiores queixas sobre os líderes, nas pesquisas com funcionários, seja: "Ele não tinha idéia de para onde estávamos rumando. Não tinha uma visão de futuro de que pudesse nos falar."

Crie uma visão. Viva essa visão.

82. Pare de olhar por cima do ombro

A coragem não é a ausência do medo, mas a noção de que há outra coisa mais importante do que o medo.

Ambrose Redmoon, filósofo americano

A pior armadilha para um líder é tentar antecipar o que seus líderes pensam a respeito e fazer coisas superficiais para impressionar o escalão superior, em vez de fazer coisas reais para encorajar seu pessoal.

A liderança baseada no próprio exemplo (a melhor forma de motivação) está em se aprimorar no que você faz, independentemente dos outros, e não viver na expectativa do que os outros pensam a seu respeito.

Isso lhe permite aumentar sua força de liderança a cada dia e desenvolver sua auto-estima. Paradoxalmente, quanto mais nos concentramos em fazer o nosso trabalho e atingir nossos objetivos pessoais e profissionais, mais ajudamos os outros. Isso não é nem um pouco egoísta.

Não há nada menos motivador para se ter por perto do que alguém que está sempre tentando prever as críticas alheias.

83. Lidere vendendo

Todo mundo vive da venda de algo.

Robert Louis Stevenson

Dan Kennedy é um especialista em marketing que fez centenas de vendas diretas ao longo da vida. Ele observou que os médicos, advogados, professores e executivos mais bem-sucedidos com quem trabalha invariavelmente têm alguma experiência de venda.

Scott Richardson conta que jamais teve problemas em fazer as pessoas se envolverem em seus projetos: "Isso sempre foi muito fácil para mim. Antes de ter alguma experiência com venda direta, eu era péssimo em fazer as pessoas se interessarem por projetos e idéias. Depois melhorei muito."

Antes de ir para a faculdade, Scott decidiu passar um verão vendendo livros de porta em porta na Pensilvânia e fez um treinamento na área de venda.

"Durante essa semana aprendi o básico. Era a venda no estilo antigo: você pegava a 'manha' de vender, então aprendia sobre a abordagem da visita, como inspirar confiança, entrar, fazer sua apresentação e fechar o negócio", lembra Scott.

Scott teve uma tremenda sorte de principiante e conseguiu fazer uma venda na primeira casa que visitou.

Aquela, contudo, foi sua única venda em duas semanas. Então seu gerente de vendas resolveu trabalhar com ele para ver o que não estava funcionando.

– Scott, você não está fechando a venda. Você não está sequer tentando fazer a venda.

– Não estou fechando? Claro que estou.

– Não está, não. Olhe, basta começar mostrando um pouco os livros, depois você fecha. E se o comprador disser "Não, não estou interessado", você diz "Sei exatamente o que quer dizer", então mostra os livros um pouco mais e tenta fechar de novo.

– Isso é loucura – disse eu. – Eles vão me colocar porta afora!

– Tente.

"Seja o que Deus quiser", pensou Scott.

Na próxima visita, ele mostrou um pouco os livros e perguntou à dona da casa se podia preencher o pedido.

– Para ser sincera, não estou interessada – ela disse.

– Tudo bem, sei exatamente o que quer dizer – ele retrucou, mostrando novamente o livro, e fez nova proposta para fechar a venda.

– Olha, não sei, não tenho dinheiro – a senhora respondeu.

– Sei exatamente o que quer dizer – ele repetiu, dando início à nova rodada.

Scott tentou concluir a venda cinco vezes e já estava desesperado até que, na sexta vez, ela disse:

– Está bem!

Alguns dias depois, Scott foi ao banco depositar seus cheques das vendas e viu a senhora num dos guichês. Ela olhou para ele meio envergonhada. "Ah, meu Deus", pensei, "talvez eu tenha forçado a mulher a comprar e agora ela está constrangida. Mas, tudo bem, sempre dizemos aos clientes que podem cancelar o pedido se quiserem".

Scott entregou os cheques e a senhora disse:

– Scott, espero que não tenha se aborrecido por eu ter levado tanto tempo para me decidir, mas precisava ter certeza de que queria mesmo aqueles livros. Agora, estou contente com minha decisão.

Aquela foi uma grande lição. Daquele momento em diante, Scott nunca mais teve medo de perguntar. Em termos de liderança, isso significa simplesmente solicitar o que você quer, ser muito direto ao fazer isso e ter sua comunicação focada em pedidos e promessas.

Imagine o que quer que seu pessoal "compre". Então "venda" a eles a idéia. Mas não se esqueça de fechar a venda. Não se esqueça de fazer um pedido específico e firme para receber de volta uma promessa específica e firme.

84. Atenha-se aos princípios

Em questões de estilo, nade com a corrente; em questões de princípios, fique firme como uma rocha.

Thomas Jefferson

"Nunca minta. Nunca trapaceie. Nunca roube", dizia o treinador John Wooden a seus jogadores. "Conquiste o direito de ser orgulhoso e autoconfiante."

Estamos começando a aprender por que John Wooden foi o mais bem-sucedido técnico universitário de basquete de todos os tempos. Ninguém chegou nem perto dele nessa área. Ninguém motivou seus atletas tão bem quanto ele.

Rick Reilly, um talentoso cronista esportivo, recorda:

> "Se você jogava no time de Wooden, tinha de seguir as regras dele: nunca marque ponto sem agradecer a um companheiro de equipe. Um palavrão e você está fora. Trate seu adversário com respeito. (O treinador Wooden acreditava em coisas antigas.) Nada de drible por trás das costas nem por entre as pernas. ('Não há necessidade disso', dizia ele.) Nada de cabelo comprido nem pêlo no rosto. 'Levam muito tempo para secar e você pode pegar um resfriado ao sair do ginásio', dizia. Essa

deixava seus jogadores malucos. Certo dia, Bill Walton, considerado um dos melhores jogadores do basquete universitário, apareceu de barba crescida. 'É um direito meu', insistiu. Wooden lhe perguntou se acreditava muito naquilo. Walton disse que sim. 'Isso é bom, Bill', disse o treinador. 'Admiro as pessoas que acreditam firmemente em algo e permanecem fiéis às suas crenças. Admiro mesmo. Vamos sentir a sua falta.' Walton raspou a barba imediatamente. Atualmente, ele liga uma vez por semana para o treinador para dizer que o ama."

Você tem dois modos de agir como motivador dos outros. Pode buscar ser estimado ou pode, como John Wooden, conquistar o respeito da equipe. Quando o respeito estiver bem estabelecido, você pode até acabar sendo estimado.

85. Estabeleça relações criativas

Uma vida de reação é uma vida de escravidão – intelectual e espiritual. É preciso lutar por uma vida de ação.

Rita Mae Brown, escritora americana

Quando estamos treinando líderes que têm muita dificuldade em motivar os outros, sempre fica claro que seu problema básico é *reagir* às pessoas o dia inteiro.

Eles se deleitam com a própria reação emocional negativa às pessoas, se colocam no papel de vítima e são, no fundo, infelizes.

O que esses gerentes necessitam é de uma mudança suave. Não uma guinada de 360°, mas um pequeno ajuste, exatamente como a suave troca de marcha num carro bem ajustado. Precisam mudar de reação para criação.

Reagir se tornou um hábito, e como é só um hábito, pode ser modificado.

O consultor Dan Sullivan acertou em cheio quando disse: "A dificuldade para mudar os hábitos reside no fato de que estamos modificando algo que nos parece totalmente natural. Bons hábitos parecem naturais; maus hábitos também. A única diferença está nos resultados obtidos – completamente distintos."

Um dos primeiros passos para nos afastarmos do hábito de reagir às pessoas que administramos é nos perguntarmos o seguinte (uma questão levantada por Ralph Waldo Emerson há muitos anos): "Por que a minha felicidade deveria depender dos pensamentos que surgem na cabeça de outra pessoa?" Essa pergunta nos dá a perspectiva mental necessária para começarmos a enxergar as possibilidades de nos relacionarmos criativamente com os outros, em vez de apenas reagirmos a eles.

86. Não tenha medo de pedir

Quando você adquirir posições de confiança e poder, sonhe um pouco antes de pensar.

Toni Morrison, escritora americana

Você não gostaria de poder *pedir* a seus superiores para ajudarem sua equipe a fazer certas coisas? A liderança seria muito mais simples se pudesse se tornar uma questão de pedidos, promessas e ação. E pode.

Antes que você pergunte, ajudará saber que todos (seus superiores, clientes e funcionários), no fundo, querem dizer sim.

Certa vez, fizemos um seminário sobre comunicação e um dos exercícios consistia em dramatizar o fato de que as pessoas na realidade querem dizer sim.

Assim, durante uma longa pausa para o jantar, a tarefa que recebemos foi sair e fazer três pedidos absurdos a desconhecidos e esperar que nos respondessem com um *não*. Precisávamos obter três respostas negativas antes de voltarmos ao seminário.

Achávamos que seria simples. Depois que Scott terminou o jantar, dirigiu-se a uma senhora na mesa ao lado, disse que estava com pouco dinheiro e perguntou se ela poderia pagar o seu jantar.

Ele imaginou que diante desse pedido absurdo ela certamente responderia: "Suma daqui."

Por isso Scott ficou atônito quando ela reagiu de outra maneira.

– Bem, acho que não tenho dinheiro para pagar seu jantar no momento – respondeu ela.

Então Scott tentou induzi-la a dizer não.

– Ah, tudo bem, era só um pedido. A senhora pode se negar.

Mas ela não dizia não.

– Bem, não tenho certeza...

– Em outras palavras, é *não?*

– Bem, acho que é não. Não.

– Obrigado!

A seguir, ele foi ao caixa pagar a refeição e havia um homem lá perto, sentado.

– Com licença, estou com pouco dinheiro – disse Scott. – O senhor poderia pagar o meu jantar?

– Bom, não sei. Por que isso?

– O senhor pode recusar.

Levou algum tempo mas o homem finalmente disse não. Só que ainda faltava um não. Scott se virou para a senhora ao lado dele e perguntou:

– E a senhora? Poderia pagar o meu jantar?

Ela havia acabado de ouvir a conversa, portanto não parecia tão difícil! Mas foi. Até que, após uma longa negociação, Scott ouviu finalmente o *não* desejado.

Esse exercício nos ensinou muito. Todos querem dizer sim.

Portanto, sempre que desejarmos criar um projeto, estaremos livres para sair e começar a perguntar. Não precisamos temer fazer o que a maioria das pessoas chamaria de "pedidos absurdos". Isso porque sabemos por experiência que a tendência natural das pessoas é dizer sim.

Então peça o que quiser, tanto para as pessoas abaixo de você quanto para as que estão acima. Se a sua equipe precisa de algo do alto escalão, vá lá e peça. Quando você obtiver o sim, continue trazendo notícias boas para a sua equipe. Conte-lhes o que a diretoria está concordando em fazer para que as coisas avancem. Você estará ensinando ao seu pessoal o poder dos pedidos.

87. Seja você mesmo

É preciso um grande ato de coragem para admitir para si mesmo que você não é defeituoso.

Cheri Huber, escritora e filósofa zen

Não é preciso se modificar!

Muita gente que ouve nossas palestras ou lê nossos livros vem conversar conosco sobre obter um treinamento e diz: "Preciso mudar totalmente a minha vida. Tenho sido um chefe inconsciente, mandão e paranóico, e estou pronto para aprender a ser um líder."

Dizemos a mesma coisa a todos: você não precisa se modificar. Só necessita de um ajuste suave.

Para fazer com que seu carro esporte o conduza numa velocidade maior e sem trancos, você precisa tirar a caixa de câmbio e colocar uma nova? Ou basta mudar de marcha? É difícil fazê-lo? É difícil como trocar um pneu? Ou a coisa simplesmente desliza e se encaixa?

Para que sua mente o leve ao próximo estágio de liderança, você só precisa passar a marcha. Não é necessário substituir a caixa de câmbio.

Apenas passe a marcha e então zuuum... Simples assim.

Você precisa mudar sua atitude? Como? Por quê? O que é uma atitude, afinal de contas? Como fazer para modificá-la?

Atitude é uma palavra que as pessoas mais velhas usam para intimidar os jovens. É um dispositivo de controle:

– É melhor mudar essa atitude, filho!

– Como, papai?

– Não brinque comigo, filho!

– O que é atitude, papai? Como encontro? Como mudo?

– A sua atitude não é boa, é bom saber.

Se você algum dia participou de uma conversa desse tipo, ficou com uma noção equivocada do conceito de mudança. Reinventar a si mesmo é possível, mas como resultado de uma série de suaves ajustes. É um caminho, não uma revolução. Torna-se um modo de vida.

Comece agora.

88. Turbine seus e-mails

Nenhum pessimista descobriu os segredos das estrelas, navegou para uma terra totalmente desconhecida ou abriu um novo céu para o espírito humano.

Helen Keller, escritora americana

Cada e-mail que você envia à equipe é uma oportunidade. Uma nova chance para energizar seu pessoal e espalhar otimismo – o combustível para o entusiasmo contagioso de que o seu próximo projeto necessita.

No entanto, 9 entre 10 administradores ignoram essa oportunidade. Em vez disso, enviam freqüentemente e-mails neutros, curtos e muito diretos... às vezes até zangados.

Todos eles são um desperdício. Porque sua primeira função, antes mesmo de informar os outros, é motivá-los.

Portanto, vamos começar do seguinte: note que o e-mail é um meio de comunicação frio. Não contém tom de voz, piscadela de olho nem expressão calorosa. É um dispositivo eletrônico e sem coração.

Assim, até um e-mail neutro parece gelado ao destinatário. Mesmo uma simples transmissão de informação dá a impressão de ser fria e negativa, a não ser que você aproveite a oportunidade para impregná-lo de mais animação. Procure turbinar sempre os seus e-mails.

Toda comunicação do chefe para um funcionário é uma oportunidade de transmitir otimismo. Não a desperdice. Um verdadeiro líder nunca faz isso.

Analise o seu e-mail antes de enviá-lo. É animador? Agradece ou valoriza o destinatário? É agradável? Inspirador? Vai deixar alguém contente?

Em caso contrário, mude o tom de negativo para positivo. Pergunte a si mesmo: eu ficaria contente em receber essa mensagem? Eu me sentiria prestigiado e apreciado se a recebesse?

Estudos comportamentais mostram que o reforço positivo tem um poder sete vezes maior do que a crítica quando se deseja mudar um comportamento.

A crítica causa ressentimento, depressão, raiva e sabotagem. As pessoas vão sabotar sua liderança caso se sintam desvalorizadas.

Dê uma turbinada e observe o que acontece. Envie para metade de seu pessoal um e-mail neutro e para a outra metade um e-mail positivo. Depois veja o que acontece. Você ficará feliz com o resultado.

89. Pare de empurrar

Puxe a corda, e você obterá o que quer. Empurre-a, e não obterá nenhum resultado.

Dwight D. Eisenhower

Thomas Crum ministra seminários sobre como usar a filosofia aikido na vida empresarial.

Scott se lembra de ter assistido a uma das demonstrações dadas por Crum. Numa ocasião ele pediu a alguém que fosse até à frente da sala e ficasse ali diante dele.

– Levante a mão assim – disse Crum ao levantar uma das mãos como se fizesse um juramento, tocando a mão erguida do aluno.

O aluno reagiu naturalmente, automaticamente, empurrando a mão de Crum.

– Essa é a reação natural dos seres humanos – disse Crum. – Eu empurro e você oferece resistência.

Então, ele pediu ao aluno para estender uma das mãos com o punho fechado. O aluno obedeceu. Crum colocou a própria mão com o punho fechado na frente da dele e ambos empurraram as mãos um do outro. Um punho contra o outro.

– Esse é o modo como geralmente encaramos a vida – disse Crum. – Exatamente assim. Uma luta ou um jogo de empurra em que eu tento vencer e você também. No aikido, nunca resistimos.

Naquele exato momento, Crum abaixou o punho e o voluntário continuou empurrando o punho na direção dele. Crum, então, virou com o voluntário e o guiou rápida e suavemente até o chão.

– Isso é o aikido – disse Crum. – Eu não resisto, portanto não estamos mais lutando. E adivinhem só: estamos num alinhamento perfeito, portanto é muito fácil para mim dirigir o outro para onde quero que ele vá. É assim que o aikido funciona.

"As palavras *ai ki do* significam *fundir* nossas forças internas, não opor força contra força. E cada movimento converge para esse ponto, em que o *ki* do agressor e o meu se fundem. Exatamente nesse ponto, quando estamos alinhados, tenho o controle do outro e do que acontece a ele e ao seu corpo. Controle total. Não é necessário nenhum esforço. Porque estamos em completo alinhamento", explica Scott.

A aplicação desse princípio na motivação dos outros é profunda, pois o chefe realmente não quer resistir ao que seu pessoal está fazendo ou dizendo. Ele deseja guiar sua energia interna natural para um objetivo mútuo. Quer receber e guiar a energia natural de sua equipe... Não quer se opor a ela nem deturpá-la.

90. Seja consciente

O chefe produz medo; o líder, autoconfiança. O chefe aponta os culpados; o líder corrige os equívocos. O chefe sabe tudo; o líder faz perguntas. O chefe faz do trabalho um fardo; o líder o torna interessante.

Russell H. Ewing, escritor inglês

Um chefe inconsciente pode aprender a ser um verdadeiro líder?

Claro que sim. Se você quer se transformar num verdadeiro líder, comece a pensar de forma consciente em seu comprometimento e em seus princípios como líder. Esse é o passo número um.

Você pode fazer uma reunião de liderança e declarar por que e como pretende liderar. Deixe tudo bem claro. Se houver outros líderes na sala, mesmo alguns que você chefia, convide-os a fazer o mesmo. Quanto mais aberto você for a respeito de como pretende liderar, mais motivado será o seu pessoal.

Um dos exercícios que gostamos de fazer em nossos seminários de liderança é pedir às pessoas que escrevam o nome de alguém a quem admiram e respeitam como líder. Pode ser a avó, uma autoridade, um antigo professor ou um administrador de empresas com quem já trabalhou. Alguns citam um líder famoso que teve influência sobre eles, como John F. Kennedy ou Winston Churchill.

Você pode fazer esse exercício agora mesmo. Pense em alguém que você respeita como líder. Escreva o nome dele ou dela num papel. Em seguida, cite três qualidades que você mais admira nessa pessoa. Só volte a ler se tiver terminado o exercício.

O.k., agora examine essas três qualidades. Elas podem ser qualquer coisa – honestidade, flexibilidade, uma crença total em você, criatividade, um estilo de ensino sem julgamentos, etc. Sejam quais forem esses três itens, analise-os. Na maioria dos casos, essas são as qualidades que *você possui* como líder. E são essas qualidades que seu pessoal mencionaria ao falar sobre você! Olhe bem para elas. Não é verdade? Não são quem você é?

Esse exercício é eficaz porque mostra como você já internalizou e se modelou de acordo com os líderes que admira. Até agora, no entanto, essa internalização tinha sido subconsciente. O truque é torná-la consciente e estar bem alerta para isso a cada dia.

Não há nada tão desanimador como um líder que aparenta ter planos ocultos. É desestimulante para o seu pessoal ter de adivinhar o que você quer a cada dia. É muito melhor que você e sua equipe estejam totalmente *conscientes* daquilo que desejam.

91. Venha do futuro

A essência da liderança é ter uma visão – e não se atirar no escuro.

Theodore M. Hesburgh, americano, presidente emérito da Universidade de Notre Dame

É muito comum que os gerentes, inconscientemente, permitam que suas conversas com os funcionários ou reuniões de equipe se concentrem excessivamente no passado.

No entanto, o constante bordão de como as coisas costumavam ser e por que eram "mais fáceis naquele tempo" desmoraliza a equipe, que perde muito tempo esquadrinhando e examinando fracassos e equívocos.

Isso é feito à custa do futuro. E também do otimismo e de um direcionamento claro.

O chefe motivador não comete o equívoco de se concentrar obsessivamente no passado. Ele usa o passado como um trampolim para falar sobre o futuro: "O que podemos aprender a partir desse erro que vai nos servir no futuro? E se isso acontecer de novo, como poderemos lidar melhor com a situação?"

Para um líder, o passado tem apenas um objetivo: fornecer recursos para modelar o futuro. Ele não é usado como algo em que se deva se pendurar, ou como uma desculpa para o lamento, a atribuição de culpas, a nostalgia, ataques pessoais ou uma atitude de derrota. Um líder sabe que liderança *significa* conduzir as pessoas para o futuro.

Para se tornar um líder melhor, é preciso olhar cada vez mais para o futuro: discutir a próxima semana, planejar o mês seguinte, as metas para o ano que vem e examinar as oportunidades que serão aproveitadas daqui a dois anos. Prepare-se para discutir o futuro. Se os detalhes nem sempre são conhecidos, os compromissos, a visão e as estratégias são.

É extremamente desencorajador ter um chefe que se recusa a encarar o futuro e espalha temor sobre ele, dizendo que não se pode prever o que vai acontecer. Esse tipo de gente exagera os problemas em potencial e enfatiza a imprevisibilidade de tudo. Eles tentam dar a impressão de realistas quando na verdade seria muito mais adequado dizer que não fizeram o dever de casa.

O líder vai motivar os outros na medida em que for uma fonte constante de informação e comunicação sobre o futuro de sua equipe.

92. Ensine-os a se ensinarem

Se quiser que um homem o apóie, nunca deixe ele sentir que depende de você. Faça-o sentir que, de certo modo, você depende dele.

General George C. Marshall

Scott lembra uma história contada por Rodney Mercado sobre o grande virtuose Jascha Heifetz e o concerto para violino de Tchaikóvski, dificílimo de tocar.

O professor de Heifetz era o grande violinista alemão Leopold Auer. Mas ele próprio não conseguia tocar o concerto para violino de Tchaikóvski no tempo certo. Heifetz foi o primeiro a conseguir essa proeza.

Ora, se Auer, o professor, não era capaz de tocar, como o próprio Heifetz conseguiu? Alguns poderiam dizer: "Bem, Heifetz era apenas um fenômeno."

Mas, segundo Rodney Mercado, não era essa a explicação:

"Se Auer estivesse simplesmente ensinando Heifetz a tocar como ele, Heifetz jamais teria executado o concerto de Tchaikóvski no tempo certo. Mas não era isso que Auer estava fazendo. Ele estava *ensinando Heifetz a se ensinar* a tocar o instrumento. E foi assim que Jascha Heifetz aprendeu a superar seu professor."

Essa é uma distinção muito importante. Por isso Auer foi de fato um professor tão extraordinário.

O objetivo do líder é ensinar como Leopold Auer, sem medo de que seus liderados se tornem melhores do que você. É esse desprendimento que faz um grande treinador e um grande líder.

93. Pare de se desculpar pelas mudanças

Se as mudanças externas são maiores do que as mudanças internas, o fim está próximo.

Jack Welch

Gerentes que se desculpam por toda e qualquer mudança a que devem ajustar sua equipe estão plantando as sementes do desânimo e de um moral baixo.

Cada vez que introduzem uma nova política, produto, sistema, regra ou projeto, eles pedem desculpas. Implicitamente consideram a mudança danosa ao bem-estar dos funcionários, algo pelo qual esperavam nunca precisar passar. Isso é feito com o objetivo inconsciente de parecer compassivo e ser estimado, mas as conseqüências são uma equipe de vítimas e um aumento enorme no tempo levado por essas pessoas para assimilar as novidades e se sentir à vontade com elas.

Um verdadeiro líder não se desculpa pela mudança. Não se alimenta do medo que tão facilmente a acompanha. Em vez disso, é um defensor da mudança. Comunica continuamente os benefícios de uma empresa sempre em mutação. Endossa uma organização que está constantemente reinventando a si mesma para obter níveis cada vez maiores de produtividade e inovação.

Toda mudança é feita por um motivo. E a decisão de efetuá-la costuma ser tomada após pesar os prós e os contras. Assim, se você deseja ser um líder motivador, deve aprender extensamente sobre os aspectos positivos da mudança. Liderança é isto; a comunicação dos aspectos positivos.

Com freqüência os chefes se sentem tão pouco à vontade com mudanças quanto seu pessoal, e portanto se desculpam o tempo todo por elas, o que aumenta a impressão de que a equipe está completamente desvinculada da missão da empresa.

Se você é um verdadeiro líder, deve sempre vincular a equipe à missão da companhia. Por que se desculpar por algo que vai aumentar a força da organização? Toda mudança é feita com o único objetivo de fortalecer a viabilidade da empresa.

Por isso você precisa defender a mudança e convencer a equipe de sua importância.

94. Deixe que descubram

> *As pessoas querem saber a diferença entre o líder e o chefe. O líder trabalha em aberto, e o chefe, encoberto. O líder lidera e o chefe dirige.*
>
> Theodore Roosevelt

Scott lembra mais uma vez o instrutor e professor Rodney Mercado e seu toque de mestre em obter performances notáveis dos músicos que ensinava e motivava.

"Se você ouvisse dois alunos de Mercado tocarem lado a lado, juraria que eles não tinham o mesmo professor. Diria ser fisicamente impossível, pois o estilo de tocar dos dois era bastante diferente. A maioria das pessoas que aprende música sabe que os ouvintes podem identificar quem é o professor de um aluno pelo modo como este toca", diz Scott. Com Mercado, no entanto, não só não se conseguia fazer isso como as pessoas também juravam que eles *não tinham* o mesmo professor.

Qual era o segredo de Mercado? Bem, ele nunca dizia "não faça", nunca respondia "não" e nunca explicava *como* tocar o instrumento.

Se o aluno estava aprendendo a segurar o violino, ele dizia: "O.k., gostaria que você tentasse manter a mão o mais à direita possível."

Depois que o aluno executava o que ele havia pedido, o professor continuava: "Ótimo. Agora faça o oposto e coloque a mão totalmente para a esquerda."

Por fim, perguntava qual dos dois extremos o aluno preferia e dizia para ele descobrir o que funcionava melhor no seu caso: "Não há um modo certo."

Scott aprendeu com o exemplo do professor e, ao motivar os outros, adaptou-o para mostrar que nunca há um jeito certo de fazer algo. Em vez de mostrar à equipe a "maneira certa" de dar um telefonema ou coletar informações sobre um cliente, ele os deixa descobrir sua própria maneira. As pessoas vão se motivar se você as guiar suavemente nessa direção.

95. Seja um otimista incurável

O líder é um negociador de esperança.

Napoleão Bonaparte

O equívoco mais fundamental que nós, gerentes e administradores, podemos cometer é o pessimismo.

É a recusa em apostar no sucesso da empresa e defender a estratégia da organização.

É também uma tendência exagerada a reconhecer e concordar com o aspecto negativo de cada tópico sem apoiar o positivo. Às vezes o otimismo é uma posição corajosa e solitária, razão pela qual muitos chefes não a assumem. É triste saber que é essa posição que a equipe mais espera e precisa ver em seu líder.

Embora alguns chefes não percebam o que fazem ao ser pessimistas o tempo todo, os verdadeiros líderes sabem exatamente o que é e para que serve o otimismo. É a prática de enfocar mais oportunidades e possibilidades do que queixas e lamentações.

Um verdadeiro otimista não enxerga a vida através de lentes cor-de-rosa. É mais realista do que isso. Não tem medo de confrontar e compreender os problemas na organização. Mas uma vez que o desafio é identificado e entendido, ele volta a pensar em oportunidade e possibilidade.

Os líderes otimistas reconhecem o aspecto negativo de cada situação e então concentram a maior parte do pensamento no lado positivo. Também preferem enfocar os pontos positivos ao se comunicarem com a equipe, pois sabem que os funcionários sempre se concentrarão no aspecto negativo das coisas. Quem quer parecer um otimista idiota? É muito mais popular ser um pessimista esperto e espirituoso. Mas isso não é liderança.

Ser otimista diante de uma equipe resmungona e pessimista requer coragem e energia. É o coração e a alma da liderança. E embora você possa ser atacado por causa disso, no final, será a qualidade pela qual os membros de sua equipe mais amarão você.

96. Preste atenção

Não espere eliminar inteiramente seus problemas refletindo sobre eles; não lhes dê atenção e eles vão desaparecer. Fixe o pensamento em seu trabalho, preencha os intervalos com boas companhias, e a luz do sol vai irromper de novo em sua mente.

Samuel Johnson

Preste atenção a qualquer coisa e ela crescerá e se expandirá.

Dedique atenção às suas plantas e elas florescerão. Dê atenção a uma causa e sua paixão e seu conhecimento contribuirão para o sucesso dela. A atenção é assim. Qualquer objeto para o qual você a dirige crescerá.

Ao conversar com membros de sua equipe fique atento aos resultados finais que deseja, não ao esforço para conquistá-los. Quando elogiar seus colaboradores, preste atenção ao resultado conseguido por eles, não à fadiga, ao trabalho árduo ou às tentativas de obtê-lo.

A maioria dos chefes perde de vista esse ponto vital e recompensa o esforço, sem perceber que isso envia a mensagem subconsciente de que basta tentar. Seu pessoal pensa que, se puder mostrar atividade, não vai haver tanto enfoque nos resultados finais.

Certifique-se de recompensar mais os resultados do que qualquer outra coisa. Se o fizer, vai conseguir melhores resultados finais. *Você* deve ser aquele que está sempre falando dos números se quiser que alguém os alcance.

Em vez disso, se sentir pena das pessoas e reconhecer como todos estão se esforçando arduamente, é isso que obterá: menos resultado e mais esforço.

A atenção é poderosa. Contudo a maioria das pessoas permite que seu foco seja desviado de um lado para o outro o dia inteiro por forças externas. Um telefonema inesperado. Um e-mail irritante. Alguém passando por sua mesa e fazendo uma pergunta complicada.

Encare sua atenção como dinheiro. Um tesouro precioso. É um investimento. Qualquer coisa em que você investir vai lhe trazer retorno. Se prestar atenção no que quer (resultados numéricos mensuráveis e conseqüências específicas), vai obter cada vez mais o que deseja.

97. Crie uma rotina

Paciência e perseverança têm um efeito mágico: diante delas as dificuldades e os obstáculos desaparecem.

John Quincy Adams

O principal obstáculo psicológico ao sucesso na motivação é o mito das características imutáveis. Gente que pensa que seus hábitos não são hábitos, e sim traços de personalidade. Acreditar nesse mito aprisiona as pessoas, sem a menor necessidade.

Os padrões repetitivos de ação que você e eu exibimos ao longo do dia resultam do hábito, não de características imutáveis, defeitos de caráter ou trejeitos.

Se não gostamos de certa tendência que temos (digamos, adiar aquela conversa importante com um colaborador que passou dos limites), então o primeiro passo para corrigi-la é considerá-la o que é: um hábito. Um hábito é um padrão de comportamento tecido pela repetição. Se você postergar as tarefas difíceis em favor das fáceis, consistente e repetidamente, isso se tornará um hábito. É a lei do sistema neurológico humano.

Então, o que fazer?

Tudo o que temos a fazer para construir um novo hábito é criar uma rotina. Isso mesmo, uma rotina! Por favor, repita para si mesmo: "Eu não preciso de disciplina para isso. Não preciso de uma nova personalidade. Não preciso de uma renovada força de caráter, nem mesmo de mais força de vontade: *só preciso de uma rotina.*"

Lyndon Duke, um de nossos melhores mentores e treinadores de produtividade nos negócios, disse certa vez que passara muitos anos diminuindo sua auto-estima se lamentando pelas condições de seu bagunçado apartamento. Morava sozinho, era um ativíssimo gênio dos negócios e trabalhava longas horas, com alegria, mas não conseguia manter sua casa limpa. Dizia a si mesmo que era indisciplinado e desorganizado. Em suma, sua mente logo o pintou como um desmazelado. Característica imutável: desmazelado.

Finalmente ele chegou à conclusão de que o que lhe faltava era uma rotina. Só isso! Ele tinha força de vontade, bom caráter e autocontrole, sem dúvida. Mas não tinha rotina.

Então simplesmente criou uma. "Eu arrumava as coisas por 20 minutos todas as manhãs", conta Duke.

Às segundas-feiras, enquanto o café ficava pronto e os ovos fritavam, por alguns rápidos e curtos minutos ele arrumava a sala. Às terças, o quarto. Às quartas, a cozinha. Às quintas, o corredor e a varanda. Às sextas, o escritório. E a cada manhã de sábado, por 20 minutos, fazia uma faxina mais pesada do cômodo que quisesse. E assim nasceu a sua rotina, que se tornou um hábito.

"No início era incômodo e esquisito", disse ele. "Pensava comigo mesmo que era tão pouco natural que provavelmente não continuaria com aquilo; mas tinha me prometido uma experiência de 90 dias. Ficaria livre para abandoná-la se minha teoria de que só precisava de uma rotina não estivesse correta. Agora faço isso com tanta naturalidade que nem lembro se fiz ou não."

Se algo está deixando de ocorrer em sua vida profissional, se você acha que poderia ser mais produtivo se fosse mais disciplinado, não se preocupe. O problema não é você – é a falta de uma rotina. Tudo o que precisa fazer é criar uma.

Você se detesta por não se preparar para as reuniões de equipe? Não há nada de errado com você. Só precisa de uma rotina. Está aborrecido porque seus e-mails roubam seu precioso tempo e sua vida como líder? Não está lhe faltando nenhuma força interior, só uma rotina. Cheque seu e-mail em dois momentos específicos do dia e avise seu pessoal da nova resolução. Crie uma rotina para si mesmo e siga-a por 90 dias. Então estará livre.

98. Recompense

O amor é sempre criativo e o medo sempre destrutivo. Se você pudesse amar o bastante, seria a pessoa mais poderosa do mundo.

Emmet Fox, escritor e filósofo irlandês

O princípio mais importante da motivação é o seguinte: você obtém o que você recompensa.

O reforço positivo do comportamento desejado funciona muito mais depressa e de modo muito mais permanente do que a crítica ao comportamento indesejável.

O amor vence o medo, sempre.

Os líderes que, sozinhos, criam maneiras de recompensar seu pessoal por um bom desempenho obtêm melhores resultados do que aqueles que correm o dia inteiro apagando incêndios.

A maioria das pessoas não percebe as vantagens desse método provocado pela má performance de seus funcionários porque espera tempo demais para implementá-lo.

Dedique uma parte do dia para recompensar as pessoas, ainda

que apenas verbalmente. Dez minutos no fim de cada dia. Faça-o por telefone. Envie alguns e-mails. Recompense. Recompense. (Às vezes, recompensas verbais ou escritas, mais até do que bônus e prêmios financeiros, são as que conseguem inspirar mais profundamente o outro a ter um desempenho ainda melhor.)

Obtenha um exemplar de *1001 maneiras de premiar seus colaboradores*, um excelente estudo de Bob Nelson sobre como as empresas recompensam seu pessoal. Leia-o com um marca-texto amarelo na mão. Todos os que seguem esse conselho aumentam a produtividade de sua equipe, adaptando as idéias ali contidas ao seu estilo. A maioria das sugestões não exige qualquer tempo extra, apenas um compromisso extra de recompensar.

E você obterá aquilo que recompensa.

99. Diminua o ritmo

Nada prova tão conclusivamente a capacidade de um homem de liderar os outros quanto o que ele faz dia a dia para liderar a si mesmo.

Thomas J. Watson, ex-presidente da IBM

Você vai liderar melhor se diminuir seu ritmo. E também vai ser mais produtivo.

Não parece verdade, parece? Aparentemente, diminuir o ritmo não faria com que mais coisas fossem realizadas. Mas faz! Se todo dia você tentar ir mais devagar, vai entender a verdade por trás da fábula da lebre e da tartaruga.

O elemento mais importante para diminuir o ritmo é saber que você está sempre trabalhando na coisa certa. O consultor empresarial Chet Holmes diz que ele e seus clientes concretizam essa idéia certificando-se de que cada dia contenha apenas seis tarefas na lista de coisas a fazer. Essa lista os faz ir mais devagar.

– Por que seis coisas? – diz Holmes. – Porque tendo uma lista maior você vai passar o dia inteiro podando a lista. No fim do dia percebe que a maioria das coisas importantes não foi concluída. Você simplesmente olha e diz: "Ah, eu não fiz o mais importante." Deixar de cumprir uma lista de tarefas causa um péssimo impacto psicológico! Assim, priorize seis coisas... e assegure-se de executá-las. Ficará surpreso ao ver quanto realizou.

Se estou na estrada errada, não importa quão rápido eu corra por ela: continua sendo a estrada errada.

Preciso me lembrar disso: vá mais devagar e vença. Necessito do meu próprio ritmo, agradável e tranqüilo. Quero que a conversa que estou prestes a ter seja relaxada e intensa para que a relação que tenho com meu interlocutor se torne relaxada e intensa. Portanto, digo a mim mesmo o dia inteiro: vá mais devagar. Mais devagar ainda. Para chegar aonde quer.

100. Decida ser excelente

> *Quando a vida exige das pessoas mais do que elas exigem da vida – como geralmente é o caso –, o resultado é um ressentimento com a vida quase tão enraizado quanto o medo da morte.*
>
> Tom Robbins, escritor americano

Você pode compreender agora uma estranha verdade que só iria descobrir em seu leito de morte: não há desculpa para não alcançar a excelência.

Um dia você vai resolver ser *excelente* no que faz. Nunca olhará para trás. Nunca lamentará a decisão. Pode não ter parecido algo importante no momento em que fez aquela escolha, mas de algum modo você saberá que a decisão é definitiva. Ela não será reconsiderada.

Eis um bom motivo para ser excelente: as pessoas vão querer segui-lo. Passar a respeitá-lo. Desejar ser mais como você. Fazer coisas para você.

E, se você for honesto consigo mesmo, algum dia vai perceber a verdade, agora ou no leito de morte:

Não havia desculpa para não alcançar a excelência.

LEITURAS RECOMENDADAS

Auto-estima no trabalho, de Nathaniel Branden. Rio de Janeiro: Campus, 1999

A última palavra em poder, de Tracy Goss. Rio de Janeiro: Rocco, 1997

The Laughing Warriors (Guerreiros que riem), de Dale Dauten. Lumina Media, 2003

O jogo do trabalho, de Charles Coonradt. Rio de Janeiro: Sextante, 2008

CONHEÇA OUTROS TÍTULOS DA EDITORA SEXTANTE

O jogo do trabalho

CHARLES A. COONRADT E LEE NELSON

Como seis pessoas com uma rede, uma bola de vôlei e a determinação de vencer o jogo se tornam uma equipe bem gerenciada em questão de minutos na festa de fim de ano da empresa, mas não conseguem esse mesmo tipo de motivação no trabalho?

Isso acontece porque no esporte elas têm feedback constante sobre seu desempenho – como conhecem o placar, seu esforço para obter o melhor resultado surge de modo natural. Na vida profissional, muitas vezes o feedback não é confiável, não é contínuo e, em alguns casos, nem mesmo fornecido. E mais: geralmente, a pessoa não sabe as regras do jogo e o que deve fazer para ser bem-sucedida.

Esse livro mostra como estabelecer metas e usar a motivação própria da diversão para conquistar a vitória no trabalho. Com esse método, os resultados são medidos, fornecendo as chaves para tornar a empresa mais lucrativa por meio do aumento da produtividade e do entusiasmo dos colaboradores.

O monge e o executivo

JAMES C. HUNTER

Leonard Hoffman, um famoso empresário que abandonou sua brilhante carreira para se tornar monge em um mosteiro beneditino, é o personagem central desta envolvente história criada por James C. Hunter para ensinar de forma clara e agradável os princípios fundamentais dos verdadeiros líderes.

Se você tem dificuldade em fazer com que sua equipe dê o melhor de si no trabalho e gostaria de se relacionar melhor com sua família e seus amigos, vai encontrar nesse livro personagens, idéias e discussões que vão abrir um novo horizonte em sua forma de lidar com os outros. É impossível ler esse livro sem sair transformado. *O monge e o executivo* é, sobretudo, uma lição sobre como se tornar uma pessoa melhor.

1001 maneiras de premiar seus colaboradores

BOB NELSON

Com mais de 1,5 milhão de exemplares vendidos em todo mundo, *1001 maneiras de premiar* seus colaboradores se tornou uma referência por mostrar que o que motiva uma pessoa a ter um desempenho brilhante não é tanto um aumento de salário nem uma promoção, mas certos gestos inesperados no dia-a-dia que demonstram o real reconhecimento por um trabalho bem-feito.

Se você está em busca de formas originais e altamente eficazes de premiar seus colaboradores por uma excelente atuação, esse livro tem sugestões sob medida para o seu caso, seja qual for o tamanho de sua empresa e do seu orçamento para isso.

1001 maneiras de tomar a iniciativa no trabalho

BOB NELSON

Como todo profissional, você tem diariamente a oportunidade de arregaçar as mangas, usar seus talentos e se destacar por uma atuação brilhante. Quase sempre, isso é apenas uma questão de tomar a iniciativa – de entrar em ação antes que o seu supervisor lhe diga o que fazer e como.

Nesse livro, Bob Nelson apresenta centenas de exemplos de pessoas que conseguiram implementar mudanças extraordinárias em suas organizações a partir de idéias simples e foram reconhecidas por isso.

Prático e abrangente, esse livro apresenta exercícios e técnicas de administração, dicas de líderes, pesquisas e estudos de caso para motivar você a seguir nessa promissora direção.

INFORMAÇÕES SOBRE OS PRÓXIMOS LANÇAMENTOS

Para receber informações sobre os lançamentos da EDITORA SEXTANTE, basta enviar um e-mail para atendimento@esextante.com.br ou cadastrar-se diretamente no site www.sextante.com.br

Para saber mais sobre nossos títulos e autores, e enviar seus comentários sobre este livro, visite o nosso site: www.sextante.com.br

EDITORA SEXTANTE
Rua Voluntários da Pátria, 45 / 1.404 – Botafogo
Rio de Janeiro – RJ – 22270-000 – Brasil
Telefone: (21) 2286-9944 – Fax: (21) 2286-9244
E-mail: atendimento@esextante.com.br